STAR WARS REBELS

pi kids

phoenix international publications, inc.

The crew of the *Ghost* welcomes Ezra Bridger, an orphan joining their fight for freedom against the evil Empire. Some of the rebels have an interesting way of welcoming him. Can you chase down these rebel team members?

Ezra

Sabine

Zeb

Chopper

Kanan

Hera

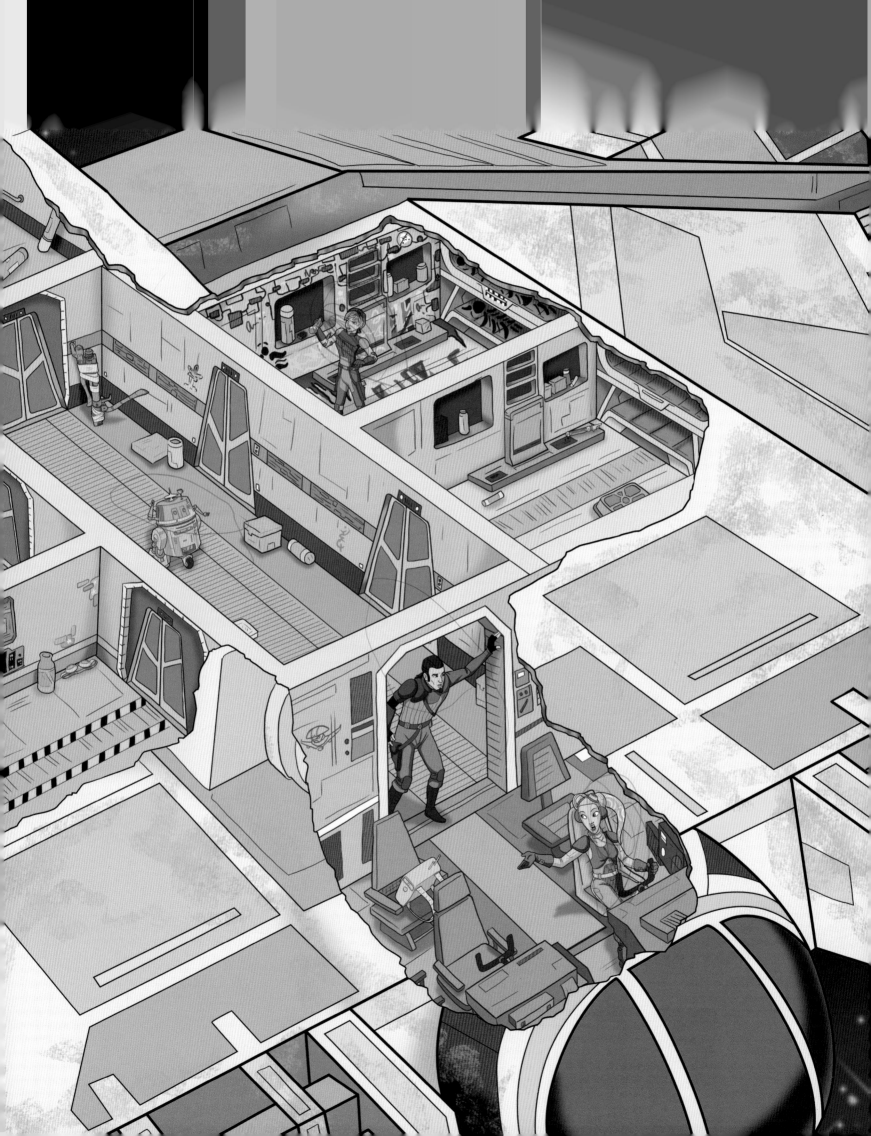

The rebels weaken the Empire by disrupting deliveries of weapons, so the Imperials can't use them against the innocent. As the rebels get the deadly ion disrupters onto the *Ghost*, find — and keep away from — these crates Sabine has rigged to explode:

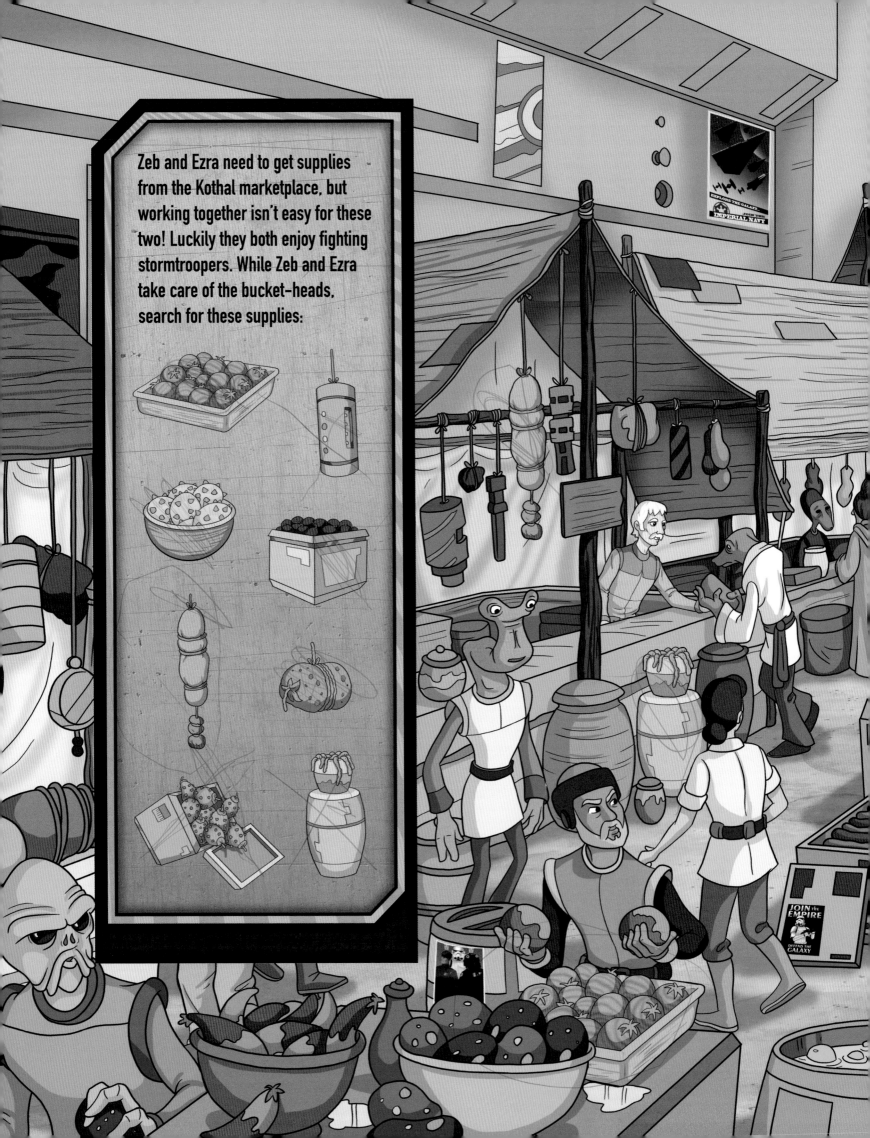

Zeb and Ezra need to get supplies from the Kothal marketplace, but working together isn't easy for these two! Luckily they both enjoy fighting stormtroopers. While Zeb and Ezra take care of the bucket-heads, search for these supplies:

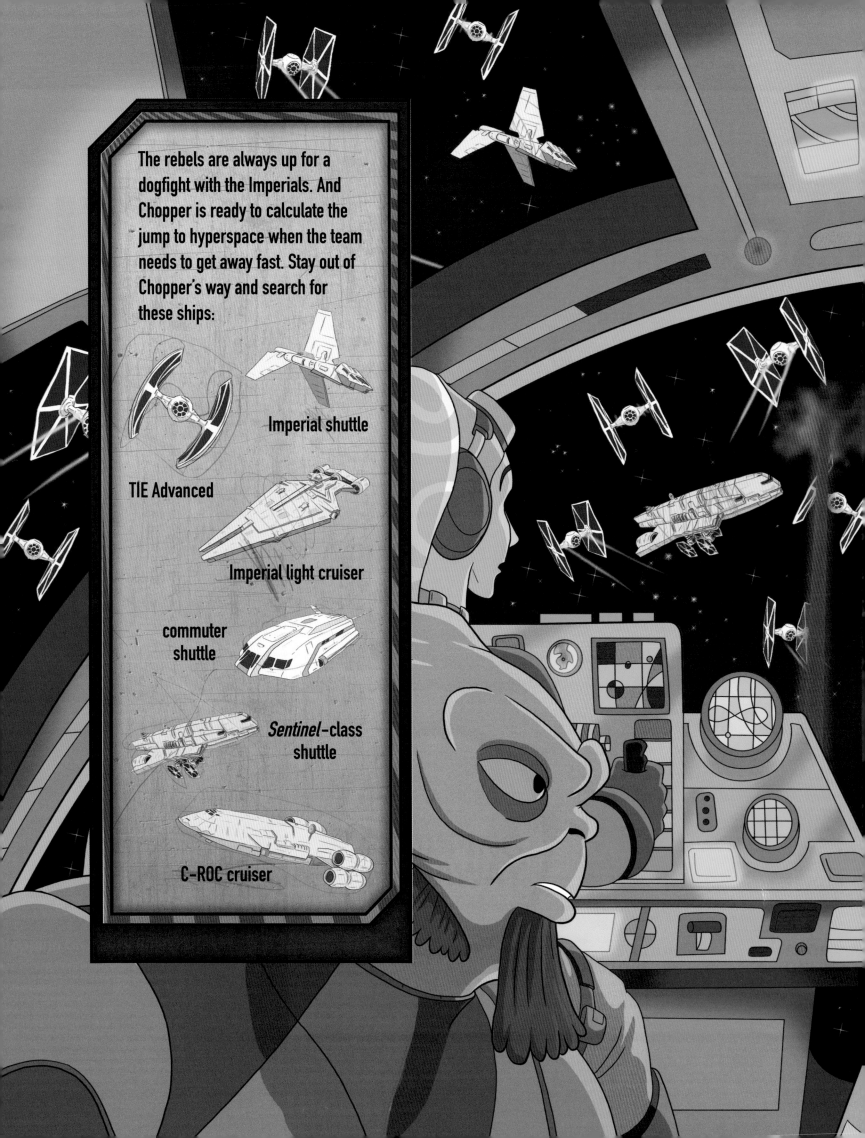

The rebels are always up for a dogfight with the Imperials. And Chopper is ready to calculate the jump to hyperspace when the team needs to get away fast. Stay out of Chopper's way and search for these ships:

Imperial shuttle

TIE Advanced

Imperial light cruiser

commuter shuttle

Sentinel-class shuttle

C-ROC cruiser

At the Spire on Stygeon Prime, the rebels learn that breaking out of prison is harder than breaking in. Hera arrives just in time with the *Phantom*...and an unexpected fleet of allies. Watch for these stormtroopers as the rebels escape:

Ezra goes undercover inside Lothal's Imperial Academy to get a decoder. As always, he makes a few friends and a few enemies! While Ezra uses the Force to snatch the decoder, look for these things that could help the Padawan rebel:

decoder

data pad

blaster

this stormtrooper helmet

explosive device

credits

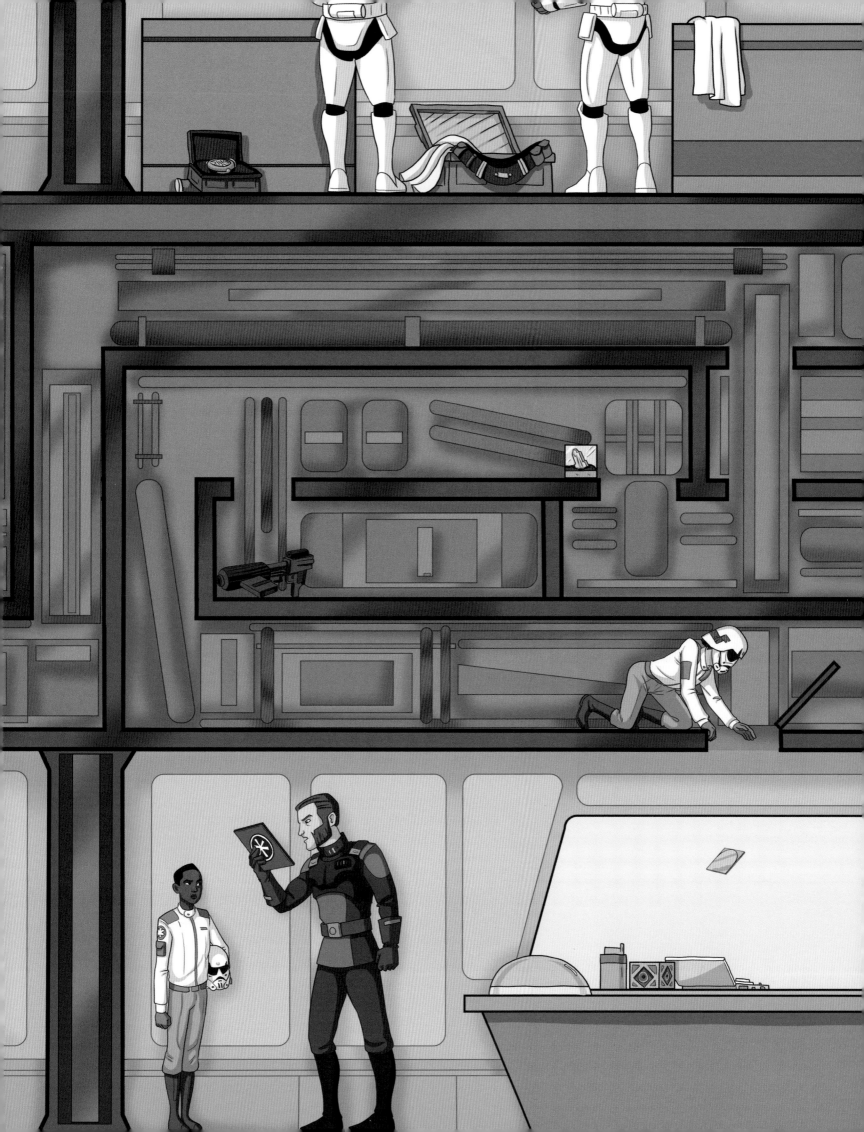

Now it's Sabine and Hera's turn to take a supply run. On the abandoned Fort Anaxes, they find more than just supplies! Help Sabine and Hera fend off these fyrnocks:

The spark of rebellion is beginning to ignite! The rebels aren't the only ones at the Empire Day parade who would rather celebrate the *fall* of the Empire. Search the crowd for these citizens who aren't celebrating:

The *Ghost* isn't just a hyperspace-jumping, TIE-chasing, Empire-crushing rebel vehicle. It's also a home for this rag-tag rebel family. Search the ship for a few of the crew's personal effects:

Zeb's bo-rifle

Chopper's tools

Hera's spare goggles

Kanan's lightsaber

Sabine's paint sprayer

Ezra's backpack

Whether they're helping out or pulling pranks, droids can be dependable allies to the rebels in their fight against the Empire. Find these droids at the Garel Spaceport:

C-3PO protocol droid

this protocol droid

ASP general purpose droid

R2-D2 astromech droid

Chopper C1-10P astromech droid

RX-24 pilot droid

Though the vendors remember simpler times, Imperial forces run the marketplace now. Look around for these pieces of Imperial propaganda:

Before joining the rebels, Ezra had never left Lothal. Now he thinks stargazing is amazing! Get back to the dogfight and find these constellations in space:

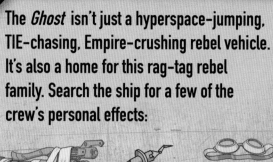

The stormtroopers' protective armor may be high-tech, but it can only protect them if it stays on. Find these pieces of stormtrooper armor that have been blasted off at the Spire:

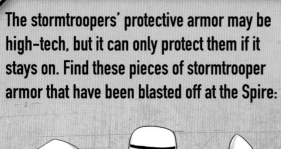

forearm plate

this helmet

shoulder plate

chest plate

shin plate

boot

Ezra is sensitive to the Force, the energy that connects every living thing in the universe. Look around the academy for these objects that are helpful to Force-users:

holocron

lightsaber

kyber crystal

imagecaster

Jedi robe

Jedi utility belt

When Sabine and Hera are stranded on Fort Anaxes, they use what they can to fight off the fyrnocks. Fly back to the fort and search for these explosives and explosions:

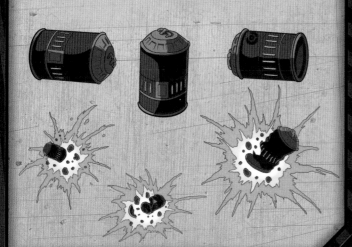

The rebels celebrate Empire Day in their own way—by blowing up a small portion of it! March back to the parade and find these fireworks Sabine made for the occasion:

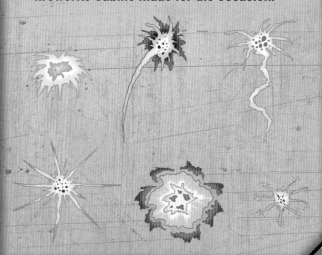

E.P. JACOBS

L'ENIGME DE L'ATLANTIDE

LES EDITIONS BLAKE ET MORTIMER
BRUXELLES

Lettrage : Maurice HENDRICKX
Coloriage : Paul-Serge MARSSIGNAC sous la direction
du studio E.P. JACOBS

D/1988/3807/002
ISBN 2-87097-013-7

Distributeur exclusif : DARGAUD BENELUX - Bruxelles.
Loi n° 49956 du 16-7-1949
sur les publications destinées à la jeunesse.

Imprimé en Belgique par PROOST en octobre 1988

LE PROFESSEUR PHILIP MORTIMER EST VENU PASSER QUELQUES SE-MAINES DE DÉTENTE DANS LE CADRE ENCHANTEUR DE "SÃO MIGUEL", DONT LES SITES ÉTRANGES ET MAGNIFIQUES JOINTS À UN PASSÉ LÉGENDAIRE FONT DE L'"ÎLE VERTE" L'ENDROIT LE PLUS RÉPUTÉ DE L'ARCHIPEL DES AÇORES. EN EFFET, UNE TRÈS ANCIENNE TRA-DITION LA CONSIDÈRE COMME L'UN DES SOMMETS ÉMERGÉS DE L'ATLANTIDE, CE MYSTÉRIEUX CONTINENT DISPARU DONT PARLE LE GRAND PHILOSOPHE GREC PLATON ET QUI, À UNE ÉPOQUE FABULEUSE, AURAIT ÉTÉ ENGLOU-TI DANS LES PROFONDEURS DE L'OCÉAN ATLANTIQUE...

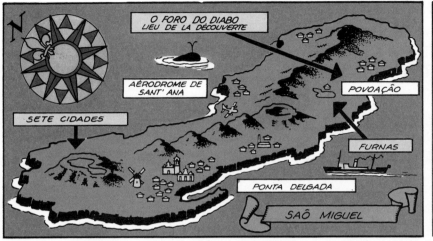

O FORO DO DIABO
LIEU DE LA DÉCOUVERTE

POVOAÇÃO

AÉRODROME DE SANT'ANA

FURNAS

SETE CIDADES

PONTA DELGADA

SAÔ MIGUEL

IL N'EN FALLAIT PAS PLUS POUR QUE LE PROFESSEUR, TOUJOURS EN QUÊTE D'IMPRÉVU ET D'AVENTURES NOUVELLES, SE METTE À EXPLORER LES VALLONS ET LES GORGES SAUVA-GES AVOISINANT LA VALLÉE VOLCA-NIQUE DE FURNAS, ET CECI L'A AMENÉ À FAIRE UNE ÉTONNANTE DÉCOUVERTE, TELLEMENT ÉTONNANTE MÊME, QU'IL A AUSSITÔT ALERTÉ SON VIEIL AMI, LE CAPITAINE FRANCIS BLAKE. AU MOMENT OÙ DÉBUTE CETTE EXTRAORDINAIRE HISTOIRE, MOR-TIMER SE TROUVE PRÉCISÉMENT À L'AÉROPORT DE SANT'ANA, OÙ IL EST VENU ACCUEILLIR LE CAPITAINE. MAIS COMME LES DEUX AMIS QUITTENT L'AÉROGARE, ENGAGÉS DANS UNE CON-VERSATION ANIMÉE, L'INTRIGUE EST DÉJÀ PRÈS DE SE NOUER!...

DERRIÈRE UN PANNEAU VITRÉ, UN HOMME GUETTE LA SORTIE DES VOYAGEURS...

Le voilà!!...

ET L'INCONNU, AUSSITÔT, D'UN COUP DE SIFFLET ALERTE DEUX INDIVIDUS PENCHÉS, UN PEU PLUS LOIN, SUR UNE VIEILLE FORD...

WWiiiiiT

Attention!

C'est fait!

TOUT EN GUIDANT BLAKE VERS SA VOITURE, MORTIMER S'EXCLAME:

Ce que vous me dites là me stupéfie! Ainsi on vous a dérobé la lettre par laquelle je vous informais de ma découverte!... Mais comment pouvait-on savoir?...

Je me suis posé la même question, et, étant donné l'intérêt de son contenu, j'ai pris sur moi d'avertir l'I.S. ...

Vous avez fort bien fait! Mais voici la bagnole, installez-vous, nous serons vite chez moi.

Tant mieux! J'ai hâte de voir la chose de près... J'avoue ne pas être tranquille à son sujet...

Combien y a-t-il d'ici à Furnas?

Trois bons quarts d'heure...

MAIS TANDIS QUE L'AUTO DÉMARRE, L'INDIVI-DU QUI GUETTAIT L'ARRIVÉE DE BLAKE RICANE...

Bonne promenade, Gentlemen!

FILANT À VIVE ALLURE, LA VOITURE S'ENGAGE SUR LA GRAND ROUTE. MAIS BIENTÔT...

Nous allons bifurquer ici, c'est un raccourci et c'est moins fréquenté...

CEPENDANT, LA CONVERSATION SE POURSUIT...

...Est-il besoin de dire que j'avais tout fait pour éviter d'ébruiter l'objet de mes recherches, car si mon hypothèse devait s'avé-rer exacte, les conséquences de ma trouvaille, selon l'emploi qu'on en ferait, pourraient être incalculables!...

Oui, c'est bien ce qu'il y a d'inquiétant dans ce vol: Seule une organisation puissante ou un réseau d'espionnage peut s'inté-resser à pareille affaire, et dans ce cas, il va s'agir de...

MAIS, UNE SÉRIE DE RATÉS AU MOTEUR VIENT INTERROMPRE LE CAPITAINE...

Allons bon! Qu'a donc ce mo-teur?!... Avec ces voitures de louage, on n'est jamais tranquille!...

PIF PAF PAF

QUELQUES MÈTRES ENCORE, ET PUIS LA VOITURE S'IMMOBILISE...

Rien de grave, j'espère?...

Je l'espère aussi, car ce chemin est plutôt désert... et la nuit tombe rapidement...

E.P.J. 1

3

MORTIMER, OUVRANT LE CAPOT, PROCÈDE À UNE RAPIDE INSPECTION...

L'allumage ?...

Plus que probable ! Voyons ceci...

...et soudain...

Damned ! Du sucre !... Du sucre dans l'essence !... Voyez cette bougie !...

Du sucre ?!... C'est donc un sabotage ?...

RAPIDEMENT, LES DEUX HOMMES SE CONCERTENT...

On s'attendait à mon arrivée, c'est clair ! Et il y a mille chances contre une pour que l'on ait voulu nous retenir loin de chez vous !

Ce doit être ça !... Alors inutile de rester moisir ici ! Regagnons la grand'route à pied et... à la grâce de Dieu !

CEPENDANT, À CET INSTANT, DANS LE PARC DÉJÀ OBSCUR DE "QUINTA DO PICO", LA RÉSIDENCE DE MORTIMER, UN DRAME RAPIDE VIENT DE SE DÉROULER...

Et voilà !... Je suis tranquille pour un bout de temps !...

APPAREMMENT SATISFAIT, L'INCONNU MASQUÉ QUI VIENT DE PRONONCER CES MOTS TRAVERSE RAPIDEMENT LA PELOUSE, GRAVIT QUELQUES MARCHES, POUSSE UNE PORTE-FENÊTRE ET PÉNÈTRE DANS LA VILLA SILENCIEUSE...

Parfait !... Et maintenant, au travail !...

SORTANT DE DESSOUS SON MANTEAU UNE PETITE BOÎTE ALLONGÉE, IL RICANE.

Avec ceci, ce sera un jeu d'enfant !...

PUIS, DOUCEMENT, AVANÇANT PAS À PAS, L'HOMME SE MET À PROMENER SON SINGULIER APPAREIL TOUT AUTOUR DE LUI...

APRÈS AVOIR PARCOURU MÉTHODIQUEMENT LE REZ-DE-CHAUSSÉE, LE BANDIT MONTE À L'ÉTAGE...

Voyons là-haut, maintenant...

LÀ, PASSANT DE CHAMBRE EN CHAMBRE, IL INSPECTE TOUT LE PREMIER ÉTAGE ET COMMENCE À PERDRE PATIENCE, LORSQUE, JUSTE COMME IL POUSSE UNE DERNIÈRE PORTE, L'APPAREIL, SOUDAIN, FAIT ENTENDRE UN CURIEUX PETIT BRUIT...

Enfin !...

TOP TOP TOP

AYANT EFFECTUÉ QUELQUES CIRCONSPECTS VA-ET-VIENT, L'INCONNU REPÈRE FINALEMENT L'ENDROIT TANT CHERCHÉ...

Attention !... C'est ici... dans ce coin... mais...

TOP TOP TOP

Quoi ? Dans cet aquarium ?... Sacré professeur !... Toujours aussi futé !!!...

TOP TOP TOP

SANS HÉSITER, IL PLONGE LE BRAS DANS L'EAU ET, FÉBRILEMENT, FOUILLE LE SABLE ET LES ROCAILLES QUI GARNISSENT LE FOND...

SOUDAIN, IL POUSSE UN CRI DE TRIOMPHE...

Je le tiens !!!...

MAIS À CET INSTANT, UN LÉGER RICANEMENT LUI FAIT LÂCHER PRISE !...

HA! HA! HA!

!

MUET DE STUPEUR, IL APERÇOIT, DRESSÉ DANS L'ENCADREMENT DE LA PORTE, UNE ÉTRANGE SILHOUETTE !...

POUSSANT UN CRI DE RAGE, L'HOMME AU MASQUE VEUT SAISIR SON PISTOLET, MAIS...

OH !...

...L'INCONNU ÉLÈVE SUBITEMENT LE BRAS, ET JAILLISSANT AVEC UN CRÉPITEMENT SEC, UN ÉBLOUISSANT FAISCEAU LUMINEUX VIENT FRAPPER LE BANDIT QUI S'AFFALE À LA RENVERSE...

HOW!!!

AU MÊME MOMENT, UN CAMION QUI ARRIVAIT EN TROMBE, STOPPE DEVANT LA GRILLE DU JARDIN, DANS UN GRAND BRUIT DE FREINS...

TSIiii

MORTIMER ET BLAKE EN DESCENDENT VIVEMENT.

Acceptez ceci et merci pour votre aide ...

Era um prazer, Senhor !... (1)

Vite, mon vieux !...

POUSSANT LA GRILLE, LES DEUX HOMMES S'ENGAGENT VIVEMENT DANS LE JARDIN...

Sans ce providentiel camion, nous nous traînerions encore sur...

Chut !... Écoutez !!

VENANT D'UN FOURRÉ PROCHE, UN FAIBLE GÉMISSEMENT VIENT DE SE FAIRE ENTENDRE ...

Mon Dieu !

Voyez là ! Un homme étendu !!

(1) C'était un plaisir, Monsieur.

EN UN INSTANT, ILS SONT AUPRÈS DU BLESSÉ ...

Damned ! C'est Zarco, mon domestique ! Le malheureux a été assommé !...

Serions-nous arrivés trop tard !?

BLAKE, MACHINALEMENT, SE RETOURNE POUR REGARDER DU CÔTÉ DE LA VILLA, ET POUSSE UNE EXCLAMATION ...

Philip !!...

?

AU MÊME MOMENT, BONDISSANT D'UNE FENÊTRE DU PREMIER ÉTAGE, UN HOMME VIENT DE SAUTER SUR LA TERRASSE ...

SANS SE CONCERTER, NOS DEUX AMIS ONT BONDI...

Il a disparu derrière la maison !...

Tant mieux ! L'endroit est sans issue ! Un ravin de 100 pieds cerne la terrasse !

MAIS VOICI QUE JUSTE COMME ILS VONT ATTEINDRE CELLE-CI, ILS RESTENT SOUDAIN CLOUÉS SUR PLACE, CAR, AVEC UN LÉGER SIFFLEMENT, UN ÉTRANGE ENGIN, JAILLISSANT D'UN MASSIF, TRAVERSE L'ESPACE À LA VITESSE DE L'ÉCLAIR ET DISPARAÎT !!!...

! !

Francis, mon vieux !... Avez-vous vu cette ... cette chose ?!

Oui !... Et je pense que nous pouvons arrêter ici la poursuite !...

3

5

CINQ JOURS PLUS TARD, A' L'AUBE, BLAKE ET MORTIMER ROULENT RAPIDEMENT SUR LA ROUTE DE POVOAÇAO. LES PRÉPARATIFS DE L'EXPÉDITION ONT ÉTÉ RONDEMENT MENÉS, MAIS, AFIN DE DÉPISTER LES JOURNALISTES ET LES ÉVENTUELS ESPIONS, PÉPÉ A ÉTÉ CHARGÉ DE RASSEMBLER LE MATÉRIEL ET LES PORTEURS A' UN ENDROIT TENU SECRET.

Ouf ! Je crois que cette fois nous les avons semés, ces enragés reporters !

N'ont-ils pas tenté de faire parler votre guide ?

Bien entendu ! Ils ont même essayé de l'acheter. Mais le bonhomme leur a fait croire que nous ne partirions que la semaine prochaine... On peut lui faire confiance !...

POURTANT, AU MÊME MOMENT, LE "BONHOMME" A UNE BIEN SINGULIÈRE CONVERSATION AVEC TROIS GAILLARDS DÉGUISÉS EN NATURELS DU PAYS. L'UN D'EUX N'EST AUTRE QUE LE FAMEUX OLRIK...

Cé n'est pas honesto cé qué je fais là, de vous engager à la place dé mes porteurs !

Mais puisque je te répète que ces messieurs et moi nous sommes des journalistes ! Allons ! Voici de quoi calmer tes scrupules... Et ne t'inquiète pas du reste !...

CINQ MINUTES PLUS TARD...

Hello ! Les hommes !

Attention ! Appelez-moi Luis !...

CECI DIT, ET LA VOITURE AYANT ÉTÉ DISSIMULÉE, LA PETITE CARAVANE SE MET EN MARCHE, LAISSANT DERRIÈRE ELLE LA BELLE VALLÉE DE FURNAS.

MORTIMER, APRÈS AVOIR PASSÉ UNE ATTENTIVE INSPECTION, S'EN-QUIERT AUPRÈS DU GUIDE :

Rien de suspect ? Tu n'as pas vu rôder de curieux par ici ?

Nào Senhor !... (¹)

Et naturellement, tu réponds de tes aides ?...

Mes aides ?... Heu !... Naturalmente, senhor...

(¹) NON, MONSIEUR !

CEPENDANT, NI BLAKE, NI MORTIMER NE SE DOUTENT QU'UN DES HOMMES DE L'ÉQUIPE EST EN LIAISON-RADIO AVEC DEUX PERSONNAGES TAPIS A' 2 OU 3 KM DE LA', DANS UNE CABANE DE BERGER...

Vous partez ?... Bon... pas d'imprudence... Entendu !...

IL FAIT MAINTENANT GRAND JOUR. APRÈS UNE MARCHE HARASSANTE, LA PETITE TROUPE EST ENFIN PARVENUE A' L'ENTRÉE DU GOUFFRE ET Y A AUSSITÔT ÉTABLI SON CAMP... TOUT ÉQUIPÉS, NOS DEUX AMIS S'APPRÊTENT A' LA DESCENTE, MAIS OLRIK, QUI DOIT LES ACCOMPAGNER, GLISSE RAPIDEMENT A' L'UN DE SES COMPLICES...

Vous voilà paré, Francis, allez-y !

Tiens Pépé à l'œil... et si jamais il se ravisait...

Compris !...

TANDIS QU'A' L'ÉCART, L'HOMME AU TALKIES COMMUNIQUE...

Il est parvenu à se faire désigner pour la descente à la place de Pépé... Non ils sont sans méfiance... Très bien... Je vous avertirai...

Donc, c'est bien compris ? Si le temps venait à changer, alerte-nous aussitôt !

De acordo, Senhor...(¹)

MORTIMER AYANT SUIVI BLAKE, OLRIK, AVEC UN DERNIER REGARD A' SES HOMMES, S'ENFONCE A' SON TOUR DANS L'OUVERTURE BÉANTE...

...TANDIS QUE, DANS LA CABANE DU BERGER, ON SE RÉJOUIT...

Eh bien, Kurt, je crois que l'affaire est dans le sac !...

(¹) ENTENDU, MONSIEUR.

CEPENDANT, APRÈS UNE DESCENTE D'UNE CINQUANTAINE DE MÈTRES, OLRIK S'ENTEND HÉLÉ PAR LE PROFESSEUR.

Hello! Luis... tout va bien?

Sim, muito bem, senhor! (1)

BIENTÔT REJOINTS PAR LE FAUX LUIS, LES DEUX HOMMES SE METTENT À DESCENDRE LA MASSE D'ÉBOULIS SUR LAQUELLE ILS ONT ATTERRI...

En route !...

MARCHANT EN TÊTE, MORTIMER AVANCE SANS HÉSITER, TOUT EN DÉROULANT UN FIL TÉLÉPHONIQUE...

Comment diable pouvez-vous vous diriger si hardiment?

Grâce à ces rubans de scotch-lite avec lesquels j'ai eu soin de baliser ma route lors de ma précédente visite. Ceux-ci, au contact des rayons de la torche, deviennent luminescents.

(1) Oui, très bien, monsieur.

AYANT ATTEINT LE FOND DE CETTE PREMIÈRE SALLE, MORTIMER S'IMMOBILISE DEVANT UNE ÉTROITE OUVERTURE QUI S'OUVRE DANS LE SOL.

Voici le puits! Soyez très prudents durant la descente, tout cela est pourri et se détache au moindre heurt...

QUINZE MINUTES PLUS TARD, LA DESCENTE AYANT ÉTÉ EFFECTUÉE SANS ENCOMBRE, MORTIMER SURVEILLE L'ARRIVÉE DU FAUX LUIS...

Un instant! Notre corde de rappel s'est accrochée!...

MAIS S'INTERROMPANT NET, IL L'EMPOIGNE SOUDAIN ET LE PLAQUE CONTRE LE ROC.

Gare!!!

AU MÊME INSTANT, UNE GROSSE PIERRE, FRÔLANT LE DOS DU PROFESSEUR, VIENT SE FRACASSER AU FOND DU PUITS, PROJETANT SES ÉCLATS DANS TOUTES LES DIRECTIONS

BROOM

Eh bien, Luis, mon ami, vous l'avez échappé belle!...

Euh!... Je... Je... Deus lhe paghe, senhor!! (1)

By love! Ce satané endroit est truffé d'embûches!

Sans doute... Mais il a aussi ses compensations. Voyez plutôt!...

ET MORTIMER AYANT ENFLAMMÉ UNE BOMBE AU MAGNÉSIUM, UNE IMMENSE SALLE SE DÉCOUVRE... FANTASTIQUE CHAOS DE ROCHES TITANESQUES ENTRE LESQUELLES FUSENT, ÇA ET LÀ, DES JETS DE VAPEURS SOUFRÉES!...

(1) Dieu vous bénisse, monsieur!

Damned! On croirait voir l'Enfer de Dante! Que sont ces vapeurs?...

C'est ce que l'on appelle ici "As caldeiras do Inferno". Par temps humide ou orageux, ils deviennent très dangereux, car ces vapeurs emplissent alors la grotte tout entière rendant l'air irrespirable. Malheur alors à l'imprudent engagé dans ces lieux!...

Pourquoi alors ne pas nous être munis de masques?

Parce qu'ils nous seraient parfaitement inutiles du fait que l'opacité des vapeurs rendrait toute orientation impossible; suffoquer ou s'égarer serait notre seule alternative!

PRÉCISÉMENT À CET INSTANT, PÉPÉ, À L'ENTRÉE DU GOUFFRE, OBSERVE LE CIEL AVEC INQUIÉTUDE...

Desconfio dissa nuvem !!! (1)

(1) Ce nuage ne me dit rien qui vaille!

8

CEPENDANT A' 2000 PIEDS EN-DESSOUS DE LA
SURFACE DU SOL, LES TROIS HOMMES ONT REPRIS
LEUR MARCHE. ESCALADANT ET REDESCENDANT DES
AMAS DE ROCS GIGANTESQUES, ILS VONT, DE REPÈRE
EN REPÈRE, VERS LE FOND DE LA SALLE. ENFIN, APRÈS
S'ÊTRE GLISSÉS ENTRE DEUX GRANDS BLOCS, ILS
S'ARRÊTENT DEVANT LA MURAILLE MASSIVE ET NUE...

Voyez, Francis, nous devons
atteindre cette chatière...

Hum! Elle n'a pas l'air
très engageante!...

AIDÉ PAR SON COMPAGNON,
MORTIMER A VITE FAIT DE
SE HISSER JUSQU'À L'ENTRÉE...

Hop! M'y
voilà!...

...PUIS, GRÂCE À UNE CORDE
LANCÉE, BLAKE ET LE FAUX LUIS LE
REJOIGNENT SANS ENCOMBRE.

ENFIN, TOUS TROIS À PLAT VENTRE, S'ENGA-
GENT DANS L'ÉTROIT BOYAU...

QUELQUES INSTANTS PLUS TARD, LA PETITE ÉQUIPE
SE TROUVE RÉUNIE SUR UN VASTE SURPLOMB SI-
TUÉ À MI-HAUTEUR DE LA MURAILLE À PIC D'UNE
SORTE DE LARGE CUVE, AU FOND DE LAQUELLE
MIROITE UN LAC AUX EAUX TRANSPARENTES...

C'est ici?

Oui... Passez devant vous trouve-
rez le matériel que j'ai eu soin
de laisser là, lors de mon premier
passage... Quant à moi, je vais éta-
blir la communication avec Pépé...

UN INSTANT PLUS TARD...

Allo, Pépé?... Quoi de neuf? Une brume
soudaine?... C'est curieux, en effet... Eh
bien, Luis restera en communication
téléphonique avec toi et si cela
venait à s'aggraver, alerte-
le immédiatement...

LA PROGRESSION EST RUDE ET LABORIEUSE.
LE MASQUE CRISPÉ PAR L'EFFORT, LA POITRINE
ET LES ÉPAULES COINCÉES, LE CASQUE RACLANT
LA ROCHE, LES HOMMES LUTTENT ÂPREMENT.
FINALEMENT, APRÈS 20 MÈTRES DE DURE REPTA-
TION, MORTIMER, DANS UN DERNIER EFFORT,
S'ARRACHE À L'ANGOISSANTE ÉTREINTE, ET
D'UNE VOIX ESSOUFFLÉE MAIS TRIOMPHANTE,
LANCE LA PHRASE TRADITIONNELLE...

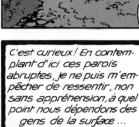

...Ça passe!!!...

PUIS, AYANT PASSÉ LA CONSIGNE À LUIS,
MORTIMER S'EMPRESSE DE REJOINDRE
BLAKE QUI S'AFFAIRE À GONFLER DEUX
CANOTS PNEUMATIQUES...

Hello! Avez-vous
le "Geiger"?

Soyez tranquille,
tout est là!

C'est curieux! En contem-
plant d'ici ces parois
abruptes, je ne puis m'em-
pêcher de ressentir, non
sans appréhension, à quel
point nous dépendons des
gens de la surface...

Héhé! Feriez-vous de la
claustrophobie? Allons,
au travail!

AYANT MIS À L'EAU LEURS CANOTS, LE CAPITAINE
ET LE PROFESSEUR SE METTENT À SUIVRE
LENTEMENT LA PETITE GRÈVE...

Voyez, c'est à peu près ici que
j'ai découvert le bloc!

Et bien, inspectons méthodiquement
le lac, et si cela ne donne rien,
nous irons jeter un coup d'oeil
au tunnel...

LENTEMENT, LES FRÊLES ESQUIFS SE
METTENT À LOUVOYER SUR L'EAU CALME,
ET DÉJÀ LES TROIS QUARTS DU LAC ONT
ÉTÉ PROSPECTÉS...

Ce serait vraiment le diable s'il n'y avait
eu ici qu'un seul spécimen de cet...

Chut! Écoutez!

EN EFFET, LE COMP-
TEUR GEIGER VIENT
DE FAIRE ENTENDRE
SES "TOP" CARACTÉ-
RISTIQUES.

IMMÉDIATEMENT EN ALERTE, LES DEUX HOMMES S'EFFORCENT DE LOCALISER L'ENDROIT QUI ÉMET LES RADIATIONS...

Nous devons être tout près maintenant...

Oui... Encore un peu plus à gauche...

Là ! Voyez ce halo blanchâtre !...

Hurrah ! C'est ce que nous cherchons !...

MAIS VOICI QUE, DE L'ENTRÉE DU GOUFFRE, PÉPÉ TÉLÉPHONE, COMPLÈTEMENT AFFOLÉ.

Allo !... Ah ! Portim !... voilà oune quart d'heure qué jé vous appelé... il faut révénir immédialamenté !... le ciel s'assombrit de plous en plous... Oune tempestade sé prépare !... Allo !?... Allo !...

PENDANT CE TEMPS, INCONSCIENT DU DANGER QUI MENACE, MORTIMER, SANS HÉSITER, S'EST MIS À L'EAU.

Pensez-vous pouvoir le desceller ?..

Oui, l'eau est heureusement peu profonde à cet endroit...

PÉPÉ QUI NE COMPREND RIEN À L'ÉTRANGE APATHIE DU FAUX JOURNALISTE INSISTE DE PLUS BELLE...

Senhor !... Senhor Luis ! Vite ! Appelez lé professor ! On entend déjà les grondements du ... Allo !?!...

MAIS OLRIK, QUI SUIT AVIDEMENT LES FAITS ET GESTES DE NOS DEUX AMIS, NE PRÊTE QU'UNE OREILLE DISTRAITE À CE FLOT DE PAROLES...

Quoi ?... Ah oui, l'orage menace ?.. Bon, j'ai compris !.. Inutile de crier si fort !... Ça va !...

APRÈS AVOIR RUDEMENT PEINÉ, MORTIMER FAIT UN DERNIER EFFORT ET...

Eh bien ! Que pensez-vous de cela ?!

C'est extraordinaire !!

PÉPÉ, STUPÉFAIT MAIS TENACE, REVIENT À LA CHARGE.

Ma Senhor, por amor di Deus, comprenez-moi, il faut révénir sans perdre oune séconde ! L'orage vient d'éclater !... Les vapores !... Les vapores !!!

MAIS VÉRITABLEMENT FASCINÉ PAR LA PIERRE MYSTÉRIEUSE, OLRIK, EXCÉDÉ, A COUPÉ LE CONTACT.

La barbe !.. Et d'ailleurs, les voilà justement...

Hello, Luis ! Quoi de neuf ?

Rien... Euh... Ah ! si Senhor ! Pépé il dit qu'oune orage va éclater et...

Quoi ? Un orage va éclater et tu restes là sans nous avertir ! Allons ! Il ne faut pas moisir ici ! Mais avant tout tu vas hisser cette pierre là-haut.

UN INSTANT PLUS TARD, LA PIERRE ENFERMÉE DANS UN SAC...

Ça va, hisse !

... MONTE LENTEMENT VERS LA TERRASSE.

Il ne s'agira pas de la laisser échapper cette fois !

Pour ça je suis tranquille ! Mais ce qui me tracasse, ce sont ces damnés "caldeiras".

Je la tiens... et je les tiens !!!

All right ! Et maintenant assure l'échelle et renvoie-nous la corde !

Immédiatement, Senhor !

ET SOUDAIN...

Les voilà, gentlemen, ...l'une et l'autre !!!

8

TEL UN DÉMON, OLRIK ARRACHANT SES POSTICHES VIENT DE SE DRESSER SUR LE SURPLOMB...

Ha! Ha! Ha! Me reconnaissez-vous, mes bons amis?... Colonel Olrik, pour vous servir!!!

BLAKE ET MORTIMER ATTÉRRÉS PAR LA STUPÉFIANTE RÉAPPARITION DE LEUR IRRÉDUCTIBLE ENNEMI, DEMEURENT COMME PÉTRIFIÉS...

OLRIK!?!

OLRIK!?!

Cette fois, les gars, votre compte est bon! Pas de vivres, et un bel orage en perspective!... Vous allez être enfermés comme des rats dans votre trou! Ha! Ha! Ha!

Quant à votre caillou, il est en bonnes mains! Nous en ferons bon usage!

MAIS TANDIS QUE PÉRORE AINSI L'INSOLENT PERSONNAGE, BLAKE, D'UN GESTE INSTINCTIF A RAMASSÉ UN GALET DERRIÈRE LUI ET...

...SOUDAIN, AVEC UNE FORCE ET UNE ADRESSE DÉCUPLÉES PAR LA COLÈRE, LE LANCE SUR OLRIK.

Tiens! bandit!!

FRAPPÉ EN PLEIN FRONT, LE MISÉRABLE CHANCELLE...

HA!!!

...ET SOUS LE COUP DE LA DOULEUR, LÂCHE LE PRÉCIEUX SAC QUI VIENT REBONDIR AU PIED DE LA FALAISE.

Par l'enfer! Vous ne triompherez pas longtemps, mes maîtres! Je reviendrai vous contempler dans votre cul-de-basse-fosse, quand vous serez hors jeu!... Adieu!

AUSSI RAPIDEMENT QU'IL LE PEUT, OLRIK LONGE LA CHATIÈRE EN SENS INVERSE. MAIS LORSQU'IL REPREND PIED DANS LA SALLE DES ÉBOULIS GÉANTS, IL CONSTATE AVEC EFFROI QUE SOUS L'EFFET DE L'ORAGE, LA GROTTE TOUT ENTIÈRE S'EST REMPLIE DE VAPEURS SUFFOCANTES...

Damn! Je me suis trop attardé!... Heureusement qu'il me reste le fil téléphonique pour me guider!

À MOITIÉ SUFFOQUÉ ET TRÉBUCHANT À CHAQUE PAS, IL SE MET À SUIVRE LE FIL, MAIS LE CHEMIN EST SEMÉ D'OBSTACLES ET...

COMME IL ATTEINT LE SOMMET D'UN AMAS DE ROCS, IL GLISSE TOUT-À-COUP SUR UNE CRÊTE ET TOMBE!

LORSQU'IL PARVIENT À S'ARRÊTER, IL S'APERÇOIT AVEC TERREUR QUE DANS SA MAIN CRISPÉE, IL NE LUI RESTE QU'UN TRONÇON DE FIL...

Cassé!!! Je suis perdu!...

DEVANT CETTE TERRIBLE CONSTATATION, OLRIK A BONDI SUR SES PIEDS. FÉBRILEMENT, IL ESSAIE DE S'ORIENTER, MAIS SA LAMPE S'EST PERDUE DANS SA CHUTE, ET LES SUFFOCANTES ÉMANATIONS SULFUREUSES QUI S'INTENSIFIENT DE MINUTE EN MINUTE RENDENT VAINE CETTE TENTATIVE. TOUSSANT, LES YEUX RUISSELANTS DE LARMES, IL ERRE, ÉPERDU DE TERREUR ET DE RAGE...

J'étouffe!!! Ah! Je ne m'évaderai jamais de cet enfer!...

MAIS VOICI QUE SOUDAIN, COMME SORTANT DE TERRE, UN APPEL ÉCLATE PRESQUE SOUS SES PIEDS...

?

HÔ HÔ

C'EST PÉPÉ QUI, INQUIET ET BRAVANT LE DANGER, EST DESCENDU JUSQU'À L'ENTRÉE DE LA SALLE DES CALDEIRAS ET QUI, DE LÀ, HÈLE SES COMPAGNONS.

HÔ! HÔ!

PLEIN D'ESPOIR, OLRIK RÉPOND AUSSITÔT.

HÔ! HÔ!

MAIS À SON INTENSE STUPEUR, LA RÉPONSE QUI LUI REVIENT SEMBLE CETTE FOIS VENIR D'EN-HAUT!

HÔ HÔ ?

STUPÉFAIT, IL CRIE DERECHEF, MAIS LA VOIX DE PÉPÉ SEMBLE ÉCLATER CETTE FOIS À GAUCHE...

?! HÔ HÔ

COMPRENANT QU'IL JOUE SA DERNIÈRE CHANCE, IL LANCE UN SUPRÊME APPEL.

HÔ!! HÔ!!

HÉLAS, C'EST DE TOUS LES CÔTÉS À LA FOIS QUE JAILLISSENT ALORS LES RÉPONSES DE PÉPÉ...

Malédiction!!!

HÔ HÔ HÔ HÔ HÔ HÔ HÔ

COMPLÈTEMENT AFFOLÉ, OLRIK COMPREND TOUT À COUP QU'IL EST LE JOUET D'UN DE CES CURIEUX PHÉNOMÈNES ACOUSTIQUES PROPRES AUX GROTTES, ET FOU DE PEUR ET D'ANGOISSE, IL FONCE AVEUGLÉMENT AU HASARD...

À moi! À moi!!!

HÔ

MAIS PRESQU'AUSSITÔT, IL SENT LE SOL SE DÉROBER SOUS SES PIEDS, ET AVEC UN GRAND CRI, IL EST ENGLOUTI DANS UNE FAILLE BÉANTE!...

HA!!

CEPENDANT QUE, PRIS À SON PROPRE PIÈGE, LE TRAÎTRE OLRIK VIENT DE DISPARAÎTRE DANS LES ENTRAILLES DE LA TERRE, BLAKE ET MORTIMER, DEMEURÉS SUR LA GRÈVE DU LAC VERT, VIENNENT D'ABANDONNER, APRÈS PLUSIEURS ESSAIS INFRUCTUEUX, L'IMPOSSIBLE ESCALADE DES HAUTES MURAILLES QUI LES ENTOURENT DE TOUS CÔTÉS...

Rien à faire! Sauf peut-être de tailler un escalier dans le roc...

Mais cela nous prendrait des jours! Or nous sommes sans vivres et bientôt sans lumière... Inutile par ailleurs d'espérer un secours quelconque de l'extérieur!

Il ne nous reste donc d'autre alternative que l'attente de la mort au fond de cette cuve ou de nous aventurer dans l'étroit tunnel qui s'ouvre là-bas!...

MAIS BLAKE, SE RETOURNANT SUBITEMENT, LUI COUPE LA PAROLE...

Trop tard! Voici qui a décidé pour nous!!!

Mon Dieu! Les caldeiras!

En arrière !...

EN EFFET, VOMIES EN MÊME TEMPS PAR LA CHATIÈRE ET PAR CENT FISSURES, LES VOLUTES JAUNÂTRES DES VAPEURS SULFUREUSES ENVAHISSENT RAPIDEMENT LA CLIVE...EMPOIGNANT HÂTIVEMENT QUELQUES PIÈCES D'ÉQUIPEMENT, BLAKE ET MORTIMER S'EMPRESSENT DE REGAGNER LEURS CANOTS PNEUMATIQUES.

Par ici , Francis !

EN QUELQUES COUPS DE PAGAIE, LES DEUX AMIS SE SONT ÉCARTÉS DU DANGER ET SE DIRIGENT VERS L'ENTRÉE DU TUNNEL ...

Vite ! Dans un instant nous n'y verrons plus !...

Il était temps ! Le lac a presque entièrement disparu !

Je n'y comprends rien ! D'habitude, ces phénomènes n'ont pas une telle ampleur !

ENTRAÎNÉS PAR UN FAIBLE COURANT, LES CANOTS GLISSENT SILENCIEUSEMENT SOUS LA VOÛTE BASSE ET SOMBRE DU RUISSEAU SOUTERRAIN. SOUDAIN, AU BOUT D'UN QUART DE MILLE ...

Hello ! Écoutez le geiger, il doit y avoir de l'orichalque par ici !

En effet, j'aperçois une lueur blafarde à l'avant ... et deux autres plus loin !...

A MESURE QU'ILS AVANCENT, LES AFFLEUREMENTS DE MINERAI DEVIENNENT PLUS NOMBREUX, ET BIENTÔT LA RIVIÈRE TOUT ENTIÈRE DEVIENT LUMINESCENTE ...

By Jove! C'est un véritable filon !

MAIS MORTIMER, QUI OBSERVAIT LE PLAFOND DEPUIS UN INSTANT, REMARQUE...

Voyez, cela s'abaisse de plus en plus ! Mauvais signe !

EN EFFET, LES DEUX HOMMES CONSTATENT BIENTÔT QUE LE PLAFOND, S'ÉTANT ENCORE ABAISSÉ, REJOINT L'EAU ET S'Y ENFONCE...

Je m'en doutais ...un siphon !

Diable ! Que faire ? Nous n'avons pas d'équipement de plongée !...

Well !... Nous n'avons pas le choix, je vais aller jeter un coup d'oeil... Espérons qu'il est franchissable !

S'ÉTANT RAPIDEMENT DÉSHABILLÉ, MORTIMER, UNE CORDE NOUÉE AUTOUR DES REINS, S'EST MIS À L'EAU...

Donc, c'est bien entendu ! Une secousse: "Donnez du mou". Deux: "J'ai passé". Trois: "Je reviens." Plusieurs : "Je suis en difficulté."

All right !...

ET LE PROFESSEUR PLONGE DANS L'EAU GLACÉE.

BLAKE, ATTENTIF, OBSERVE LA CORDE QUI FILE, RAPIDE, ENTRE SES DOIGTS.

Une...une... une... encore !...Une deux ! Ah, il doit avoir passé !...

Que fait-il donc ?... Ah, enfin ! Une...deux...trois... il revient ! Oh ! mais qu'est ceci ?... Quatre... cinq ...Mon Dieu !!

DE TOUTES SES FORCES, BLAKE AUSSITÔT TIRE SUR LA CORDE AFIN DE RAMENER SON COMPAGNON, MAIS CELLE-CI RÉSISTE À TOUS SES EFFORTS ...

Seigneur ! Que lui est-il arrivé ?!...

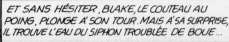

La corde a dû se coincer !... Il n'y a pas un instant à perdre !...

ET SANS HÉSITER, BLAKE, LE COUTEAU AU POING, PLONGE À SON TOUR. MAIS À SA SURPRISE, IL TROUVE L'EAU DU SIPHON TROUBLÉE DE BOUE...

LA VUE NE PORTE QU'À QUELQUES DIZAINES DE CENTIMÈTRES, MAIS REMONTANT LE LONG DE LA CORDE QUI LE RELIE À SON COMPAGNON, IL NAGE AUSSI VITE QU'IL LE PEUT...

SOUDAIN, IL L'APERÇOIT SE DÉBATTANT CONVULSIVEMENT POUR SE LIBÉRER DE LA CORDE QUI, COINCÉE, LE RETIENT PRISONNIER...

COMPRENANT AUSSITÔT LA SITUATION, BLAKE, D'UN COUP DE COUTEAU, TRANCHE LE FILIN ET...

...POUSSANT LE PROFESSEUR À DEMI-INCONSCIENT DEVANT LUI, IL LE RAMÈNE SAIN ET SAUF...

Tenez bon, mon vieux !

GLOUP !

QUELQUES INSTANTS PLUS TARD...

...Tout a été bien jusqu'au moment où j'ai fait demi-tour. Mais, la boue détachée des parois et du fond par mon passage avait formé un brouillard opaque. N'y voyant plus goutte, je me suis mis à tourner en rond. C'est alors que la corde s'est accrochée quelque part... Bon sang, j'ai eu chaud !...

Je comprends ça !... Mais alors, ce siphon ?...

On passe !... 25 yards environ, et la rivière continue en s'élargissant...

Parfait ! Allons-y alors !... Je suis transi !...

UN QUART D'HEURE PLUS TARD... LE PROFESSEUR ET LE CAPITAINE ONT RÉUSSI À FRANCHIR LE SIPHON SANS ENCOMBRE. PUIS AYANT, TANT BIEN QUE MAL, FAIT SÉCHER LEUR ÉQUIPEMENT, ILS S'APPRÊTENT À POURSUIVRE L'AVENTURE VERS L'INCONNU...

Alors ! on poursuit ?...

La question est plaisante !...

ILS SUIVENT DEPUIS DEUX HEURES LES MYSTÉRIEUX MÉANDRES DE LA RIVIÈRE AU PARESSEUX COURANT, LORSQUE L'EAU, SOUDAIN, SE MET À BOUILLONNER !...

Qu'est-ce que cela signifie ?...

...TANDIS QU'INSENSIBLEMENT SA TEINTE VIRE BIZARREMENT AU POURPRE...

Regardez ! Elle devient rouge !...

Quelque phénomène volcanique, sans aucun doute ! Il...

Écoutez !...

FAISANT FRÉMIR LES PUISSANTS MURS DE LA GROTTE, UN SOURD GRONDEMENT MONTE, MENAÇANT, DES ENTRAILLES DE LA TERRE !

BRRRRROUMMMMM !!!

Bon sang ! Un tremblement de terre !

Well, il ne nous manquait plus que...

MAIS MORTIMER N'ACHÈVE PAS SA PHRASE...

Damned ! Qu'est ceci ?!?

14

LES DEUX CANOTS VIENNENT D'ÊTRE SOUDAINEMENT SAISIS PAR UN COURANT NOUVEAU, BEAUCOUP PLUS PUISSANT...

?

...QUI, MALGRÉ TOUS LEURS EFFORTS, LES EMPORTE À UNE VITESSE SANS CESSE CROISSANTE...

Impossible de ralentir ce satané canot!...

C'est un véritable rapide!...

...VERS UNE GALERIE DONT L'ENTRÉE EST DÉFENDUE PAR UNE HERSE, FORMÉE DE STALACTITES ET DE STALAGMITES...

Mon Dieu! Nous allons nous écraser contre ces écueils!

MORTIMER N'A QUE LE TEMPS DE S'APLATIR DANS LE CANOT ET PASSE DE JUSTESSE!...

!

!

BLAKE QUI FONÇAIT SUR UN STALAGMITE, ÉVITE LE CHOC D'UN COUP DE PAGAIE, MAIS CELLE-CI VOLE EN ÉCLATS!...

! CRAC

PRIVÉ DÉSORMAIS DU MOINDRE FREIN, LE CANOT DU CAPITAINE S'ENGOUFFRE D'UN BOND DANS LE TUNNEL, DÉPASSANT MORTIMER...

Blake! Que se passe-t-il?

Ma rame s'est brisée!!!

TANDIS QUE L'EAU SE PRÉCIPITE DE PLUS EN PLUS IMPÉTUEUSEMENT, UN FRACAS LOINTAIN MONTE ET ENFLE, MENAÇANT DE MINUTE EN MINUTE...

MORTIMER QUI ESSAYE EN VAIN DE SE RAPPROCHER DE BLAKE, HURLE.

Attention, Blake!... Une chute!!!

MALGRÉ LES EFFORTS DÉSESPÉRÉS DU CAPITAINE, L'ESQUIF DÉSEMPARÉ CONTINUE INEXORABLEMENT SA COURSE FOLLE...

LA CHUTE, MAINTENANT TOUTE PROCHE, TONNE! PRIS DANS UN REMOUS, MORTIMER EST JETÉ SUR LA RIVE OÙ IL PARVIENT À PRENDRE PIED!...

...TANDIS QUE BLAKE FILE DROIT SUR UN GROUPE DE ROCS À DEMI ÉMERGÉS QUI SURPLOMBENT LE VIDE!

Ciel, il est perdu!

ET C'EST LE CHOC BRUTAL! BLAKE EST PRÉCIPITÉ À L'EAU...

...CEPENDANT QUE LE CANOT CULBUTE DANS LE GOUFFRE MUGISSANT!...

PAR MIRACLE, BLAKE PARVIENT À S'AGRIPPER À UN ROC ET S'Y CRAMPONNE!...

À moi, Mortimer!...

DE L'ÉTROITE BERGE OÙ IL SE TIENT, MORTIMER CRIE...

Me voilà, Blake! Attrapez ça!...

ET D'UN GESTE BIEN CALCULÉ, IL LANCE LA CORDE À BLAKE QUI L'ATTRAPE AU VOL.

HOP!

AGRIPPÉ À LA CORDE QU'IL A FIXÉE AU ROC, LE CAPITAINE, LUTTANT CONTRE LE COURANT, TRAVERSE LA RIVIÈRE...

Courage, mon vieux!...

ET PARVIENT À REGAGNER LA RIVE...

Sauvé!

Sans vous, mon vieux, je faisais le plongeon!

Malheureusement, nous ne sommes pas tirés d'affaire pour autant! Tout mon matériel est perdu!...

De mon côté, je suis parvenu à récupérer un pic, une torche et cette corde...

Espérons qu'elle sera assez longue pour nous permettre de descendre la cataracte, car je crois que c'est ce que nous avons de mieux à faire...

Je le pense aussi. Je crois d'ailleurs apercevoir une grève là-bas!...

ET NOS DEUX AMIS SE LAISSENT GLISSER LE LONG DE LA PAROI À PIC.

LA DESCENTE S'EFFECTUE SANS ENCOMBRE.

Diable! nous allons devoir gagner la rive à la nage!

Hé! mais cette eau est brûlante!... Nous allons être cuits comme des homards!

Raison de plus pour nous hâter!

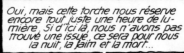

LA PROFONDEUR SE RÉDUIT BIENTÔT ET LES DEUX HOMMES ABORDENT SUR UNE PLAGE DE GROS GALETS ROULÉS, BORNÉE PAR UN MUR DE ROC VERTICAL. QUANT À LA RIVIÈRE, ELLE DISPARAÎT, ABSORBÉE PAR SES PROPRES ALLUVIONS, EN MÊME TEMPS QUE S'ÉVANOUIT LA LUMINESCENCE DE L'EAU!...

Bon sang! quel endroit sinistre!...

On se croirait au bout du monde!

Hum! je crois que cette fois, nous sommes bel et bien bloqués!

Voyons! il doit bien exister l'une ou l'autre faille quelque part...

MAIS C'EST EN VAIN QUE LE PROFESSEUR FOUILLE DU FAISCEAU DE SA TORCHE LA MURAILLE ABRUPTE ET NUE...

Rien... pas le moindre trou...

La grotte est grande, cherchons ailleurs...

Oui, mais cette torche nous réserve encore tout juste une heure de lumière. Si d'ici là, nous n'avons pas trouvé une issue, ce sera pour nous la nuit, la faim et la mort...

Charmante perspec...

MAIS À CET INSTANT, UN GRONDEMENT PROFOND ET MENAÇANT ÉBRANLE LA SALLE TOUT ENTIÈRE. AVEC DES CRAQUEMENTS FORMIDABLES, LES ROCHES SE LÉZARDENT ET CROULENT, TANDIS QUE DANS LE SOL S'OUVRENT DES CREVASSES BÉANTES!!!

BRRRRRROUMMM!

PENDANT DE LONGUES MINUTES, LES ÉBOULEMENTS SE SUCCÈDENT, EFFRAYANTS, TRANSFORMANT L'IMMENSE CAVERNE EN UN CHAOS DE ROCHES AMONCELÉES!...

LORSQU'ENFIN TOUT S'EST APAISÉ, BLAKE QUI S'ÉTAIT TAPI CONTRE UN STALACTITE GÉANT, SE REDRESSE INDEMNE ET HÈLE SON COMPAGNON.

MORTIMER! MORTIMER!...

À SON IMMENSE SOULAGEMENT, UNE VOIX LOINTAINE, SORTANT D'UNE CREVASSE, LUI RÉPOND...

Où êtes-vous?..

Ici Blake! Ici!!!

LE CAPITAINE SE PRÉCIPITE AUSSITÔT.

Hello! mon vieux... Vous êtes blessé?..

Non! Rien de cassé!.. Mais venez donc voir par ici!...

J'arrive! Le temps de dérouler cette corde!

ET BLAKE SE LAISSE GLISSER AU FOND DE LA CREVASSE...

Dieu merci! Sain et sauf!.. Mais quelle est cette lueur? Je croyais que c'était votre torche!...

Ma torche est en miettes!... Mais dites-moi ce que vous pensez de cet endroit?..

Ah!ça! Mais... cette galerie semble creusée de main d'homme...

C'est bien ce que je pensais. Mais poussons plus loin, la lumière vient de là-bas!...

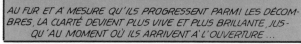

AU FUR ET À MESURE QU'ILS PROGRESSENT PARMI LES DÉCOMBRES, LA CLARTÉ DEVIENT PLUS VIVE ET PLUS BRILLANTE, JUSQU'AU MOMENT OÙ ILS ARRIVENT À L'OUVERTURE...

By Jove!

Formidable!...

DEVANT EUX, UNE VASTE GALERIE RECTILIGNE, AUX PAROIS LUMINESCENTES, TAILLÉE DANS LE MYSTÉRIEUX MINÉRAI, S'ENFONCE À L'INFINI...

Une mine! Une mine d'orichalque!!!

Oui, cette fois, le doute n'est plus possible!...

EMPORTÉ PAR SON ENTHOUSIASME, LE PROFESSEUR PALPE FIÉVREUSEMENT LES BRILLANTES ASPÉRITÉS...

Quelle merveille, Francis!...

MAIS SOUDAIN IL CHANCELLE...

Damned!.. Les radiations!...

BLAKE S'ÉLANCE SUR LUI ET L'ENTRAÎNE VIVEMENT DANS UN COULOIR OBSCUR...

Par ici! Il nous faut sortir au plus vite de ce maudit labyrinthe...

À CET INSTANT UN VIOLENT COURANT D'AIR VIENT LES FRAPPER AU VISAGE...

Un courant d'air!?.. Mais alors, il y a une issue quelque part?

Courage! Nous sommes sauvés! Le passage mène au dehors!...

Trop tard!... Ces radiations ne pardonnent pas!...

SURMONTANT SON INQUIÉTUDE, BLAKE TOUT EN SOUTENANT SON COMPAGNON, REMONTE LE COULOIR...

Encore un effort ! Je distingue une lueur !...

DANS UN DERNIER SURSAUT D'ÉNERGIE ET D'ESPOIR, LES DEUX HOMMES PARCOURENT RAPIDEMENT LES DERNIERS MÈTRES ET...

Malheur !... Ce n'est pas l'air libre !...

EN EFFET, ILS VIENNENT DE DÉBOUCHER SUR UNE SORTE DE PETIT SURPLOMB À PLUS DE 300 PIEDS AU-DESSUS D'UN ÉNORME CAÑON TOUT BAIGNÉ D'UNE ÉTRANGE LUEUR ROUGEÂTRE...

Il devait y avoir ici jadis une sorte de pont naturel !...

SOUDAIN, BLAKE VACILLE SUR SES JAMBES, EN PROIE À UN ÉTRANGE MALAISE ET LÂCHE LE BRAS DU PROFESSEUR QUI S'ÉCROULE.

Qu'est-ce que ?!?

Les radiations !!... Je suis touché à mon tour !...

COMME IL TENTE DE REPRENDRE SON ÉQUILIBRE, IL S'APPROCHE DU BORD DE LA FALAISE, ET UN BLOC DE PIERRE CÉDANT SOUS SES PIEDS, DÉGRINGOLE AVEC UN VACARME ASSOURDISSANT DANS LE CAÑON...

À PEINE LA PIERRE A-T-ELLE FRAPPÉ LE TORRENT QUI COULE TOUT AU FOND, QU'UNE RUMEUR ÉTRANGE S'ÉLÈVE DE L'ABÎME...

...ET VOICI QUE SOUDAIN, DANS UN VACARME DE CRIS DISCORDANTS, UNE NUÉE DE GRANDS OISEAUX NOIRS, MONTE À TIRE-D'AILE !...

TOUT À COUP, SURGIT AUX YEUX DE BLAKE, HORRIFIÉ, UN ÊTRE À L'ASPECT DIABOLIQUE !...

Des PTÉRODACTYLES !!!

SECOUANT LA MORTELLE TORPEUR QUI L'ACCABLE, IL S'ÉLANCE POUR ARRACHER LE PIC QUE MORTIMER PORTE ENCORE À SA CEINTURE...

MAIS, FAISANT CLAQUER LEURS ÉNORMES BECS GARNIS DE DENTS, LES MONSTRES SE SONT JETÉS SUR LUI... DANS LA MÊLÉE SAUVAGE QUI S'ENSUIT BLAKE A SOUDAIN L'ÉPAULE LACÉRÉE, TANDIS QU'UN COUP DE GRIFFE LUI LABOURE LA JAMBE...

ALORS QU'IL S'ABAT SOUS LES COUPS, IL LUI SEMBLE VOIR L'ESPACE ZÉBRÉ DE RAIES ÉBLOUISSANTES, MAIS...

...AU MÊME INSTANT, IL REÇOIT UN GRAND CHOC AU FRONT ET SOMBRE DANS LE NÉANT.

18

LORSQUE, PERÇANT LENTEMENT LE BROUILLARD DE RÊVES IMPRÉCIS ET ANGOISSANTS QUI LES ÉTREINT, BLAKE ET MORTIMER REPRENNENT LEURS SENS, ILS SE TROUVENT DANS UN ENDROIT EXTRAORDINAIRE...

BRAQUÉS SUR EUX ET ÉMETTANT UN FAIBLE RONRONNEMENT, DES SORTES DE PROJECTEURS AUX FORMES INSOLITES LES INONDENT DE RAYONS MYSTÉRIEUX ET BIENFAISANTS...

Blake !.. Êtes-vous là?

Oui !.. Me voici !..

SE REDRESSANT, ILS PROMÈNENT AUTOUR D'EUX DES REGARDS STUPÉFAITS...

By Jove ! Où sommes-nous donc ?

Et que diable signifient ces étranges accoutrements ?..

FIÈVREUSEMENT, LES DEUX HOMMES ESSAYENT DE RASSEMBLER LEURS SOUVENIRS...

Attendez !.. Que je me rappelle... Il me semble que nous errions dans d'interminables couloirs...

MAIS ILS N'ONT PAS LE TEMPS DE S'INTERROGER DAVANTAGE, CAR, TANDIS QUE LES PROJECTEURS S'ÉCARTENT RAPIDEMENT, UNE ÉTRANGE PORTE S'OUVRE SILENCIEUSEMENT DEVANT EUX !..

...DÉCOUVRANT UN PERSONNAGE, À L'ASPECT GRAVE, SOLENNEL, UN PEU INQUIÉTANT...

À SA VUE, BLAKE ET MORTIMER SE SONT AVANCÉS...

Ah ! ça, gentleman, nous direz-vous où nous sommes et qui vous êtes ?..

Oui !.. et sachez que nous ne goûtons que médiocrement cette plaisanterie !..

MAIS CETTE DOUBLE APOSTROPHE N'IMPRESSIONNE NULLEMENT LE NOUVEL ARRIVANT, QUI, D'UN TON FROID, DIT SIMPLEMENT :

Veuillez me suivre ...

Ma parole, j'ai l'impression de vivre un film d'anticipation !.. Que faisons-nous ?..

Well, allons-y ... Nous n'avons pas le choix !..

ET D'UN PAS ENCORE INCERTAIN, ILS SUIVENT LEUR GUIDE ET FRANCHISSENT LA PORTE OÙ VEILLENT DEUX MÉDECINS ...

Ils ne semblent pas très assurés ! Je me demande ce que l'on va faire d'eux ?..

Je l'ignore, mais ce dont je suis certain, c'est que si le Phula contargue[1] s'était trouvé avec la patrouille qui les a sauvés des ptérodactyles, il aurait ordonné de les abandonner à leur sort !..

[1] CAPITAINE DE LA GARDE

APRÈS AVOIR PARCOURU UN PRODIGIEUX LABYRINTHE DE COULOIRS ET D'ESCALIERS, LES TROIS HOMMES DÉBOUCHENT PAR UN ESCALATOR MONUMENTAL DANS UN VASTE HALL MAGNIFIQUEMENT DÉCORÉ...

...AU FOND DUQUEL, DEVANT UNE PORTE COLOSSALE, SE TIENT UN PERSONNAGE RICHEMENT VÊTU...

Salut à toi MAGON !

ET DE SA LOURDE CANNE, IL FRAPPE PAR TROIS FOIS L'HUIS DE BRONZE QUI RÉSONNE LONGUEMENT...

BOMMM

17

19

AUSSITÔT, GLISSANT SANS BRUIT, LES LOURDS PANNEAUX S'ÉCARTENT...

...DÉCOUVRANT UNE SALLE OÙ SIÈGE, SUR UN TRÔNE D'OR, UN PERSONNAGE À L'ALLURE NOBLE ET IMPOSANTE QU'ENTOURENT DES DIGNITAIRES CHAMARRÉS

LE PHULACONTARQUE S'AVANCE, SUIVI DE NOS DEUX AMIS, JUSQU'AU PIED DU TRÔNE, ET, AYANT SALUÉ, IL DIT :

Ô Basileus ! Voici les prisonniers !...

CELUI QUI VIENT D'ÊTRE SALUÉ DU NOM D'EMPEREUR, SELON L'ANTIQUE EXPRESSION DE CE TITRE, PREND LA PAROLE D'UNE VOIX GRAVE :

Toi, professeur Mortimer et toi, capitaine Blake, vous qui avez tous deux été sauvés des monstres de l'abîme par une de nos patrouilles et guéris des mortelles radiations par nos médecins, Magon, notre Phulacontarque vous tient pour de dangereux espions ...

À CET INSTANT MAGON S'EXCLAME AVEC PASSION...

C'est l'exacte vérité, Ô Basileus ! Ces coquins se sont introduits chez nous uniquement pour nous perdre !

À CES MOTS MORTIMER BONDIT...

Damné menteur ! Qu'osez-vous dire !...

Philip !

Quoi ?! Tu m'insultes !!!...

Paix, Magon !...

MAIS UN JEUNE HOMME DE BELLE PRESTANCE, INTERVIENT...

J'ai personnellement surveillé l'activité terrestre de ces hommes, seul un souci scientifique les a fait entreprendre cette expédition, et je me porte garant de la pureté de leurs intentions !...

En vérité ! Voilà une caution qui me paraît bien téméraire et bien insolite... Prenez garde, Prince, de vous faire le complice de leurs criminels desseins !

Il suffit, mon opinion est faite ! Ces hommes me paraissent sincères. Toutefois, il est hors de question qu'ils quittent jamais le séjour souterrain où leur audace les a amenés ; le professeur et le capitaine resteront nos "hôtes" à vie !...

Mais voyons ! C'est impossible ! Vous n'allez pas faire ça !

Nous sommes citoyens britanniques et...

Ma décision est irrévocable !...

S'ADRESSANT AU JEUNE HOMME, LE BASILEUS REPREND...

Mon neveu, je te les confie... Tu réponds d'eux devant le conseil. Traite-les en amis...

Grâce vous soit rendue, ô Basileus !

Je suis l'aérostratège de la flotte aérienne. Soyez rassurés, je veillerai sur vous !...

COMPRENANT QU'IL LEUR FAUT MOMENTANÉMENT SE RÉSIGNER, BLAKE ET MORTIMER SUIVENT LE JEUNE HOMME HORS DE LA SALLE. MAIS MORTIMER NE POUVANT RÉFRÉNER PLUS LONGTEMPS SON INTENSE CURIOSITÉ, S'ÉCRIE :

Mais, Prince, nous direz-vous enfin où nous sommes ?

Très volontiers...

VOUS ÊTES EN ATLANTIDE !!!...

LA FOUDRE TOMBANT AUX PIEDS DES DEUX HOMMES NE LES AURAIT PAS PLUS STUPÉ-FIÉS QUE LA RÉVÉLATION DU PRINCE...

L'At... l'Atlantide ?!!... Vous plaisantez ?...

L'Atlantide !.. Voyons, vous ne voulez pas dire 'que...

Venez !...

ET ICARE, SANS LEUR LAISSER LE TEMPS D'EN DIRE DAVANTAGE, LES ENTRAÎNE RAPIDEMENT. COMPLÈTEMENT ABASOURDIS, BLAKE ET MORTIMER LE SUIVENT LE LONG D'UNE SÉRIE DE COULOIRS ET ENTRENT FINALEMENT DANS UNE GRANDE SALLE AUX MURS TAPISSÉS DE CARTES ET PLEINE DE GENS AFFAIRÉS.

LE JEUNE HOMME VA DROIT À UNE VASTE BAIE ET DIT...

Voici Poséidopolis, notre capitale! ...Que ceci dissipe vos doutes!...

ALORS AUX YEUX ÉMERVEILLÉS SE DÉCOUVRE, S'ÉTEN-DANT À PERTE DE VUE, UNE CITÉ IMMENSE À L'ASPECT FANTASTIQUE. DU PLAFOND EXTRÊMEMENT ÉLEVÉ, QUI LA RECOUVRE ÉMANE UNE LUMIÈRE MYSTÉRIEUSE QUI BAIGNE LA GROTTE TOUT ENTIÈRE D'UNE CLARTÉ SEMBLABLE À CELLE DU SOLEIL. TANDIS QUE DES HOMMES MONTÉS SUR DE CURIEUX ENGINS SE DÉ-PLACENT DANS L'ESPACE, MONTANT, DESCENDANT OU RESTANT IMMOBILES, TELS DES MOUSTIQUES...

APRÈS UN LONG MOMENT DE MUETTE STUPEUR, BLAKE PREND LA PAROLE...

Mais enfin !... Tous les historiens qui admettent que l'Atlantide ne fut pas un empire mythique s'accordent pour affirmer que celle-ci a disparu dans les flots sans laisser de traces...

Mes amis, que n'ont pas affirmé les hommes de science depuis le commencement des temps ?..

Mais voyez cette carte, elle représente l'île Atlantide il y a 12.000 ans ! Les parties jaunes figurent les terres effon-drées lors du cataclysme. les parcelles rouges, les som-mets encore émergés à ce jour...

AMÉRIQUE DU NORD

40°

30°

20°

ATLANTIDE

AÇORES

MADÈRE

CANARIES

MER DES SARGASSES

CAP VERT

EUROPE

AFRIQUE

...Oui, elle bien été engloutie par l'océan à la suite d'une effroyable catastrophe provoquée par l'appa-rition dans notre système solaire, d'une comète géante. Cependant, par un singulier caprice du sort, le désastre épargna miraculeuse-ment un certain nombre de nos ancêtres qui surent survivre et lutter pour le mériter...

...Il s'agissait d'un groupe de mages et d'astronomes parmi les plus éminents, qui se trouvaient réunis à l'observatoire du mont Poséidon, l'actuelle île de Pico, afin d'observer les étranges phénomènes dont le peuple commençait à s'inquiéter...

...En effet depuis quelque temps coïncidant avec l'irruption dans le ciel d'une étrange lueur, des diverses provinces de l'empire les gouverneurs signalaient d'inquiétants phé-nomènes : tremblements de terre, éruptions volca-niques, marées anormales, tempêtes dévasta-trices, etc...

...Enfin, une nuit, la comète surgit bril-lante à l'horizon, grandissant d'heure en heure avec rapidité...

SUSPENDUS AUX LÈVRES DU NARRATEUR, BLAKE ET MORTIMER NE PERDENT PAS UN MOT DE CET EXTRAORDINAIRE RÉCIT... ⑲

Trois jours après son apparition, la comète avait atteint des dimensions gigantesques, sa queue éblouissante semblait couvrir la moitié du ciel ; en même temps, sur la terre, les phénomènes terrifiants se multipliaient !...

Les tremblements de terre se succédaient sans interruption, tous les volcans tonnaient à la fois, des raz-de-marée formidables s'élançaient à l'assaut des rivages ; des îles surgissaient de l'océan, d'autres disparaissaient, la panique qui s'était emparée du peuple touchait à présent à la folie !... Et cependant les terribles bouleversements terrestres n'étaient encore que peu de choses comparés aux perturbations provoquées par ce fantastique visiteur dans le système de planètes auquel notre terre appartient. En effet...

...à cette époque, la lune était une planète indépendante, tandis qu'un satellite plus petit, tournait autour de notre terre. Or, la comète géante, non seulement força la lune à entrer dans la sphère d'attraction de la terre, mais rapprocha aussi dangereusement le petit satellite de notre globe !...

...Et ce qui devait arriver arriva ! Soudain le quatrième jour, vers la douzième heure, le petit satellite tomba brusquement dans l'océan !!

Sous le choc, la terre oscilla ; des îles entières, des fragments de continents disparurent, tandis qu'une vague monstrueuse faisait plusieurs fois le tour du monde balayant tout sur son passage !... Du haut de leur observatoire, la poignée de savants et leurs familles assistèrent terrorisés, à l'anéantissement de POSEIDOPOLIS, la superbe capitale de l'Empire, qui entraînait avec elle, dans l'abîme, la prestigieuse civilisation Atlante !!...

...Ce n'est que lorsque, plus tard, ils contemplèrent, incrédules, l'immense mer de vase qui recouvrait l'emplacement de la cité, et les vagues, qui à présent, venaient battre les murs disloqués de leur refuge, que les rescapés réalisèrent pleinement l'étendue et la signification du désastre...

...Ces hommes fiers, qui avaient dominé le monde, ne pouvant admettre leur déchéance présente, plutôt que de demander asile à leurs anciens vassaux, décidèrent de s'enfoncer dans les entrailles de la terre, pour y fonder un empire nouveau, celui du Savoir et de la Sagesse...

Ainsi depuis des millénaires, allant de progrès en progrès, les Atlantes arrivèrent à leur grandeur actuelle, tout en observant, du fond de leur domaine souterrain l'humanité sans cesse en guerre ou en révolution !...

J'avoue que depuis qu'elle a réussi à libérer, comme nous l'énergie nucléaire, notre peuple est assez inquiet, car nous savons quel usage elle est prête à en faire !!!...

A CES MOTS, MORTIMER, DONT LA FERTILE IMAGINATION RECRÉAIT AU FUR ET À MESURE LES FRESQUES PRODIGIEUSES ÉVOQUÉES PAR LE RÉCIT DE L'ICARE, RETOMBE SUBITEMENT DANS LA PRÉSENTE RÉALITÉ !

Justement ! A ce propos, nous expliquerez-vous le mystère de l'orichalque radio-actif ?... Car je suppose qu'il s'agit bien de métal, n'est-ce pas ?...

Certainement ! Il nous servait jadis à façonner nos armes, nos parures et bien d'autres choses encore, et il a brusquement acquis ces étranges propriétés, au contact de notre petit satellite tombé des cieux,

...Il est maintenant pour nous une inépuisable et fabuleuse source d'énergie. C'est cette dernière qui meut notamment les engins qui nous permettent de prospecter les espaces interplanétaires et surtout de surveiller les activités de l'homme, les engins que vous appelez...

...LES SOUCOUPES VOLANTES !?!?...

MAIS A' CET INSTANT UNE SONNERIE PÉNÉTRANTE VRILLE L'AIR ...

...Un moment!...

L'AÉROSTRATÈGE SE DIRIGE RAPIDEMENT VERS UN VASTE PUPITRE DE COMMANDE QUE SURMONTE UNE ÉNORME SPHÈRE DANS L'ÉCRAN DE LAQUELLE SEMBLE FLOTTER UNE SORTE DE BROUILLARD, ET QUI TOURNE ET OSCILLE SANS CESSE SUR ELLE-MÊME ...

Qui appelle, Arios?...

Deux appareils du 3ᵉ STOLOS (¹) demandent la rentrée, STRATEGOS...

BRUSQUEMENT ELLE S'IMMOBILISE, LE BROUILLARD SE DISSIPE ET DEUX "SOUCOUPES VOLANTES" APPARAISSENT DANS SON CENTRE D'UN BLEU PROFOND, TANDIS QUE DES VOIX RÉSONNENT DANS LE HAUT-PARLEUR ...

Allo! Ici ALPHA 4!. J'attends les ordres!... Terminé!...

Allo! Ici DELTA 7!. J'attends les ordres!... Terminé!

LE CHEF DE L'AÉROKASTRON(²) RÉPOND AUSSITÔT...

Allo! Ici AÉROKASTRON! Réduisez la vitesse à 3000 km! Descendez à 40000 mètres! Terminé!

(¹) Escadrille.   (²) Tour de contrôle.

BLAKE ET MORTIMER QUI SE SONT ÉGALEMENT RAPPROCHÉS SUIVENT STUPÉFAITS, LES ÉVOLUTIONS DES ENGINS DONT L'IMAGE EN RELIEF SEMBLE SORTIR DE LA SPHÈRE!...

Je descends à 40.000 m. Je...

MAIS SOUDAIN COMME S'IL ESSAYAIT D'ÉCHAPPER A' UN POURSUIVANT, ALPHA 4 FAIT UN SUBIT ÉCART VERS LA DROITE, TANDIS QU'UNE VOIX ANGOISSÉE JAILLIT...

Prenez garde! Nous sommes...

MAIS LA PHRASE EST COUPÉE NET PAR UNE LUEUR FULGURANTE SUIVIE D'UNE EXPLOSION ASSOURDISSANTE, ET L'ENGIN EST LITTÉRALEMENT DÉSINTÉGRÉ SOUS LES YEUX TERRIFIÉS DES SPECTATEURS ...

Allo! Allo! Delta!... Que s'est-il passé?!!!...

Je...je l'ignore!...J'ai failli être détruit par la déflagration!...

C'est bien KAFIT qui pilotait Delta 7, n'est-ce pas? Qu'il vienne me faire son rapport sitôt qu'il sera rentré...

Bien, Stratégos!

ET LE PRINCE, L'AIR SOUCIEUX, QUITTE L'AÉROKASTRON SUIVI DE BLAKE ET DE MORTIMER...

Un... un accident?..

Probablement... Mais bien étrange en vérité. C'est le troisième qui se produit en moins de quinze jours!...

UNE HEURE PLUS TARD; TANDIS QUE LE PRINCE ICARE EST ALLÉ S'ENFERMER AVEC LE PILOTE DU "DELTA" DANS SON BUREAU, LES DEUX AMIS ATTENDENT SUR LA TERRASSE QUI DOMINE LE HALL ...

Cela se prolonge ...

Oui!... Quelque chose, manifestement, ne va pas... Ah! voyez!...

KAFIT, LE PILOTE, VIENT DE SORTIR DU BUREAU ET S'AVANCE EN JETANT AUTOUR DE LUI DES REGARDS FURTIFS ET CIRCONSPECTS.

SOUDAIN DE DERRIÈRE UNE COLONNE SURGIT LA HAUTE SILHOUETTE DE MAGON QUI LUI ADRESSE UN SIGNE...

ET L'HOMME, AUSSITÔT, SE DIRIGE FURTIVEMENT VERS LE REDOUTABLE PERSONNAGE ...

㉑

...MAIS, SUR CES ENTREFAITES, LE PRINCE ICARE SORT A' SON TOUR DE SON BUREAU ET S'AVANCE DANS LE HALL...

AUSSITÔT, MAGON ET KAFIT SE JETTENT PRÉCIPITEMMENT DERRIÈRE UNE COLONNE...

...DE PLUS EN PLUS INTRIGUÉS, BLAKE ET MORTIMER SE SONT PENCHÉS POUR SUIVRE LEUR MANÈGE, MAIS CETTE FOIS, LE PHULACONTARQUE LES A APERÇUS...

Attention ! On nous épie !...

Décidément, ces deux terriens sont trop curieux... Il va falloir prendre des mesures radicales !...

NOS DEUX AMIS NE PEUVENT EN VOIR DAVANTAGE CAR A' CE MOMENT UN SERVITEUR DU PRINCE APPARAÎT.

Mon maître vous prie de partager son repas, il vous fait préparer d'autres vêtements ; je vais vous montrer vos appartements...

Nous vous suivons...

UNE HEURE PLUS TARD, CONFORTABLEMENT INSTALLÉS DANS UNE PIÈCE, ÉLÉGAMMENT DÉCORÉE DE FRESQUES AUX TONS DÉLICATS ET TOUTE BAIGNÉE D'UNE CHAUDE LUMIÈRE, LE CAPITAINE, LE PROFESSEUR ET LE PRINCE FINISSENT DE DÎNER... DES FRUITS, DES BOISSONS RAFRAÎCHISSANTES, DES METS ÉTRANGES MAIS RAFFINÉS GARNISSENT LA TABLE...

Voilà qui était délicieux !

Exquis, vraiment !...

Je suis heureux de vous l'entendre dire ! Certes, notre régime est strictement végétarien, mais il est de qualité, grâce à nos cultures artificielles basées sur des procédés de fertilisation et de survitaminisation chimiques...

Étonnant !... Et cependant une chose me paraît plus stupéfiante encore !... Comment se fait-il que vous parliez notre langue ?...

Ma foi, il n'y a là aucun mystère, chaque membre du grand conseil parle couramment dix ou douze des plus importantes langues terrestres. D'ailleurs, un procédé secret, réservé à la seule caste dirigeante les leur inculque mécaniquement et sans aucun effort, dès l'enfance...

ET LE PRINCE S'ÉTANT LEVÉ SUR CES MOTS FAIT PASSER SES CONVIVES SUR LA TERRASSE QUI PROLONGE L'APPARTEMENT ET D'OÙ LE REGARD EMBRASSE UNE GRANDE PARTIE DE POSÉIDOPOLIS...

Voyez, par delà les limites de la capitale, l'Atlantide s'étend à travers un immense complexe de grottes colossales que relient des passages, des canaux, des lacs, jalonnés eux-mêmes de postes, de ports et de centrales. C'est aux confins de ce formidable domaine que vous avez été recueillis. Ce que vous voyez là-bas à gauche est la centrale atomique, et tout au fond, l'énorme masse du barrage désaffecté qui amenait jadis l'eau de l'océan, dont la force nous fournissait l'énergie nécessaire...

Quant à nous, enfin, nous sommes ici dans le palais qui renferme, outre tous les postes de commande et de sécurité de l'Atlantide, la résidence du Basileus et de la section de l'ASTRONAUTIQUE.

A ce propos, parmi les fonctions du Phulacontarque, y en a-t-il qui touchent à l'astronautique ?...

Aucune...Mais pourquoi cette ques...

IL N'A PAS ACHEVÉ SA PHRASE QU'AVEC UN SIFFLEMENT STRIDENT, UNE LONGUE GERBE DE FEU ÉBLOUISSANT VIENT FRAPPER LE PARAPET !!!

24

MORTIMER, LÉGÈREMENT TOUCHÉ PAR UNE ÉTINCELLE DU FEU MYSTÉRIEUX QUI VIENT DE DÉSINTÉGRER UNE PARTIE DU PARAPET A SAUTÉ DE CÔTÉ, MAIS ICARE, LEVANT LA TÊTE, POUSSE UN CRI...

Là !... On a dû tirer de cette embrasure !!!

SANS PERDRE UN INSTANT, LE PRINCE, SUIVI DES DEUX HOMMES, SE RUE VERS UN ASCENSEUR...

Vite !

... QUI, DIX SECONDES PLUS TARD, LES DÉPOSE DANS UNE GALERIE OCTOGONALE ÉCLAIRÉE PAR LA LONGUE FENTE HORIZONTALE QU'ILS ONT REPÉRÉE D'EN BAS ET DEVANT LAQUELLE S'ÉTIRE UNE LONGUE VOLUTE DE FUMÉE...

Voyez ! C'est bien ici que notre agresseur a opéré !...

En dehors de l'ascenseur, cet endroit ne possède qu'une seule issue ; le passage ... Il s'est donc nécessairement enfui dans cette direction !.. Venez !!!

ILS S'ÉLANCENT AUSSITÔT SUR UNE RAMPE OBSCURE QUI DESCEND EN SPIRALE...

Ah ! Si jamais je l'attrape, ce gaillard-là...

JUSTE COMME ILS ARRIVENT À L'ENTRÉE D'UN COULOIR, ILS ONT LE TEMPS D'ENTREVOIR À L'AUTRE BOUT, UNE PORTE QUI SE REFERME RAPIDEMENT...

Là ! Nous le tenons !...

CLAC

EN UN INSTANT, ILS SONT DEVANT LA PORTE...

Ouverte !...

Attention !...

MAIS LE BATTANT POUSSÉ, C'EST DANS UNE PIÈCE PLONGÉE DANS UNE OBSCURITÉ TOTALE QU'ILS SE TROUVENT...

Prenez garde ! Il doit s'être tapi quelque part...

Attendez ! Je vais essayer de ...

MAIS BRUSQUEMENT LA LUMIÈRE JAILLIT, INONDANT LA PIÈCE, ET LES POURSUIVANTS S'IMMOBILISENT, INTERDITS : MAGON, ENCADRÉ DE DEUX PHÜLOS [1] ARMÉS, EST DEBOUT AU HAUT D'UN ESCALIER ...

Que vois-je ? Le Prince Icare et les nobles étrangers !...

Magon !?!

? ?

Une autre fois, de grâce, messieurs, faites-vous annoncer !... J'ai failli vous prendre pour des... visiteurs malintentionnés et vous traiter comme tels !... Vraiment, j'en aurais été navré !...

Excusez-nous, Magon, si par mégarde nous sommes entrés dans votre secteur...Mais le fait est que nous étions à la poursuite d'un homme qui vient de tenter de nous assassiner !...

Qu'entends-je ?Un attentat dans ce Palais ?C'est inconcevable !... Je vais, sur le champ, ouvrir une enquête et soyez assurés, Prince et vous Messieurs les terriens, de mon zèle le plus vigilant !...

(1) GARDES.

SANS INSISTER DAVANTAGE, ICARE, AYANT PRIS CONGÉ, EST SORTI AVEC BLAKE ET MORTIMER, MAIS IL SEMBLE TROUBLÉ !

SOUDAIN IL S'ARRÊTE, COMME FRAPPÉ D'UNE IDÉE SUBITE !...

Mais au fait, que signifiait la question sur les fonctions du phulacontarque que vous m'avez posée juste avant ce...cet incident ?...

Mon Dieu.... C'était probablement sans importance ...Nous avions vu le pilote que vous veniez d'interroger rejoindre, avec des airs de mystère, Magon, qui l'attendait en se cachant.

LE PRINCE RESTE SONGEUR, UN MOMENT, PUIS IL DIT :

Je pense, mes amis, qu'il serait bon de ne pas quitter vos appartements jusqu'à nouvel ordre ...

CEPENDANT, AU MÊME MOMENT, DE SON CÔTÉ, LE PHULACÔNTARQUE APOSTROPHE VIOLEMMENT KAFIT QUI VIENT DE SORTIR DE SA CACHETTE...

Maladroit !Tu as failli tout compromettre !!!

Mais, contarkos [2]... Si je les ai ratés, c'est que selon vos ordres, il me fallait épargner le prince !!!

(2) CAPITAINE DE LA GARDE.

QUELQUES HEURES PLUS TARD : UN SPHÉROS MILITAIRE, RAMENANT UNE ESCOUADE DE PATROUILLEURS RETOUR DE MISSION, VIENT SE POSER SUR UNE DES PLATES-FORMES DU PALAIS...

OÙ L'ATTEND L'ESCOUADE MONTANTE. LES OFFICIERS DES DEUX GROUPES S'ABORDENT GAIEMENT...

Salut, Théodos, sois le bienvenu à Poséidopolis Rien à signaler là-bas ?...

Rien ! Sinon que je suis bien aise d'en avoir fini pour quelques jours !...

SUR CES MOTS, L'OFFICIER PREND CONGÉ DE SON CAMARADE ET LA PETITE TROUPE SE DIRIGE VERS LA CASERNE DES PHULOS...(1)

(1) PHULOS : GARDE

...OÙ QUELQUES INSTANTS PLUS TARD IL SE PRÉSENTE CHEZ MAGON...

Salut, Contarkos !...

Salut, Théodos... Quoi de neuf ?...

L'OFFICIER RETIRE DE DESSOUS SON MANTEAU UNE FLÈCHE CURIEUSEMENT DÉCORÉE ET LA TEND À SON CHEF...

Ceci...

Ah ?

MAGON S'EN SAISIT ET VIVEMENT LA DÉVISSE PAR LE MILIEU...

Voyons ça !...

...UN PETIT ROULEAU DE PEAU, QUI ÉTAIT DISSIMULÉ À L'IN- TÉRIEUR, EN TOMBE.

LE CONTARQUE L'AYANT DÉROU- LÉ AUSSITÔT, UN MESSAGE D'AS- PECT ÉTRANGE APPARAÎT...

QU'IL SE MET À DÉCHIFFRER...

Ce cher Tlalac.

Par Zeus ! Est-ce possible !?. Ce sont les dieux infernaux qui l'ont envoyé !!!...

De bonnes nouvelles, seigneur ?...

Bonnes ?... Elles dépassent tout ce que je pouvais espérer !... Le moment est proche, Théodos mais, auparavant... il faut faire quelque chose... Et vite !... Dis à Kâfit qu'il vienne immédiate- ment...

PENDANT CE TEMPS, BLAKE ET MORTIMER, OBSERVANT LA CONSIGNE, SE SONT RETIRÉS DANS LEUR APPARTEMENT. MORTIMER, ÉMERVEIL- LÉ PAR LES ÉTONNANTES PROPRIÉTÉS DE L'EAU QUI ALIMENTE LEUR PISCINE A CONVAINCU SON AMI DE L'ESSAYER ÉGALEMENT...

Eh bien ! avais-je raison ? Cette eau n'est-elle pas mer- veilleusement revigorante ?...

Extraordinaire ! et combien pure, malgré son opacité ! Elle doit provenir de quelque source volcanique...

Il n'y a pas à dire, ces gens-là font bien les choses !... Sauf peut-être leurs tentatives d'assassinat !

A ce propos, savez-vous que Icare a fait placer deux gardes devant notre porte ?. Ainsi...

MAIS BRUSQUEMENT MORTIMER TEND L'OREILLE...

Hé ! mais... Ecoutez, le voilà sans doute qui rentre...

Impossible... Ce bruit ne vient pas de la porte...

26

EN EFFET, DEUX HOMMES CASQUÉS ET PORTANT UN ÉTRANGE APPAREIL, VIENNENT DE SE GLISSER PAR UNE FENÊTRE DANS L'APPARTEMENT DE NOS AMIS...

L'UN D'EUX VA AUSSITÔT VERROUILLER LA PORTE D'ENTRÉE...

Il faut tout prévoir!...

Oui, bonne précaution!...

On n'entend rien, dormiraient-ils?...

Quoi qu'il en soit, il faut opérer vite, sans leur donner le temps d'ameuter le secteur!... Allons-y!

ET BRUSQUEMENT, AYANT ABAISSÉ UNE MANETTE SUR LE TABLEAU DE COMMANDE QU'ILS PORTENT SUR LA POITRINE, LES DEUX INQUIÉTANTS PERSONNAGES SE METTENT À FLOTTER DANS L'AIR, PUIS, AVEC UN LÉGER RONRONNEMENT, COMMENCENT À ÉVOLUER À TRAVERS LA PIÈCE COMME DES POISSONS DANS L'EAU...

SE DÉPLAÇANT SOUPLEMENT, PAREILS À DES ÊTRES DE CAUCHEMAR, ILS EXPLORENT MÉTHODIQUEMENT, PIÈCE APRÈS PIÈCE, TOUT L'APPARTEMENT...

Rien!...

Personne!...

Il ne reste que la salle de bains...

Bon, alors attention!...

LA PORTE GLISSE DOUCEMENT MAIS...

Vide!?!...

Impossible! Ils n'ont pas quitté l'appartement, j'en suis sûr!...

LENTEMENT, LES HOMMES VOLANTS PASSENT AU-DESSUS DE LA PISCINE, INSPECTANT LES MOINDRES RECOINS...

MAIS N'AYANT RIEN TROUVÉ, LES DEUX COMPLICES DÉCONCERTÉS, S'ARRÊTENT UN INSTANT POUR DÉLIBÉRER...

Qu'allons-nous lui dire?... Il va être furieux!...

Oui, d'autant plus que TLALAC exige leur exécution avant de...

SOUDAIN, L'UN DES HOMMES POUSSE UNE EXCLAMATION...

Regarde!... Leurs vêtements!...

Ah ça!... Mais alors ils...

MAIS À CE MOMENT LA PORTE D'ENTRÉE EST ÉBRANLÉE AVEC VIGUEUR...

Blake!... Mortimer! C'est moi!... Ouvrez!!... Holà!...

Malédiction. Les voilà!...

Trop tard!... Filons!!!...

Faites sauter la serrure!!...

DÉJÀ UN LONG JET DE FEU TRANSPERCE L'ÉPAIS BATTANT DE LA PORTE...

...ET LES DEUX HOMMES N'ONT QUE LE TEMPS DE S'ÉLANCER D'UN BOND AU DEHORS!!...

UNE SECONDE PLUS TARD, LE PRINCE ET SES HOMMES FONT IRRUPTION DANS LA SALLE DE BAINS, JUSTE AU MOMENT OÙ BLAKE ET MORTIMER, À DEMI SUFFOQUÉS ÉMERGENT DE L'EAU DONT L'OPACITÉ LES AVAIT DÉROBÉS À LA VUE DE LEURS ENNEMIS...

Vivants! Zeus soit loué!...

Ouf! Je n'en puis plus...

Une seconde de plus et j'étouffais!

TANDIS QUE LES GARDES ESSAYENT DE RELEVER QUELQUE INDICE, LES DEUX AMIS ONT RAPIDEMENT MIS ICARE AU COURANT DES ÉVÉNEMENTS...

Malheureusement, nous n'avons pu apercevoir nos visiteurs...

Nous avons seulement entendu un léger ronronnement et un murmure de voix!

Un ronronnement? Ah! c'est qu'ils étaient équipés de "planos"...(1)

Mais...dans ce murmure de voix n'auriez-vous pas distingué l'un ou l'autre mot?

C'était tellement vague...

Attendez... Ayant risqué un instant ma tête hors de l'eau, j'ai saisi quelque chose comme Halak ou Balak...

(1) Planos: engin de vol individuel.

À CES DERNIERS MOTS, ICARE A TRESSAILLI...

Vous êtes sûr de ce que vous dites?... Réfléchissez... C'est très important! N'était-ce pas Tlalak?

Oui... Il me semble... C'était quelque chose comme ça.

CECI PARAÎT PLONGER LE PRINCE DANS UNE PROFONDE PERPLEXITÉ...

Tlalak...Tlalak!? Serait-ce possible?... Ah! il faut que j'en aie le cœur net! Ce serait trop terrible!...

PENDANT UN MOMENT, LE JEUNE HOMME SEMBLE PERDU DANS SES RÉFLEXIONS...PUIS SOUDAIN PRENANT UNE BRUSQUE DÉCISION, IL DIT...

Messieurs, je vais devoir m'absenter durant quelques jours, afin de procéder à une enquête approfondie de tout ceci...

Laissez-nous vous accompagner...L'air de ce palais est malsain pour nous!

Et nous pourrions vous être plus utiles là-bas qu'ici...

Je ne sais si j'ai le droit de vous exposer à de nouveaux risques... D'un autre côté, que ne tenterait-on pas contre vous pendant mon absence?... Allons, soit, je vous emmène!

UNE HEURE PLUS TARD...

Eh bien, mon cher, comment me trouvez-vous en Phlubos?

Magnifique! Vous avez l'air d'un véritable Atlante!

MAIS VOICI QUE SURVIENT LE PRINCE...

Mes amis, je dois vous avertir que notre mission étant d'une exceptionnelle importance, elle peut également comporter de sérieux dangers! Êtes-vous toujours décidés à me suivre?

Oui!

Oui!..

PAR UNE SUITE DE COULOIRS DÉROBÉS, LES TROIS HOMMES QUITTENT SECRÈTEMENT LE SECTEUR DE L'AÉRONAUTIQUE

...ET ARRIVENT BIENTÔT À UN EMBARCADÈRE OÙ LES ATTENDENT, AUPRÈS D'UN SPHÉROS, DEUX GARDES D'UNE BRAVOURE À TOUTE ÉPREUVE.

LA PETITE TROUPE SITÔT EMBARQUÉE, L'APPAREIL GLISSE DOUCEMENT HORS DU TUNNEL...

...ET SOUDAIN, LE FANTASTIQUE ENGIN, TEL UNE BULLE DE VERRE BRILLANT, S'ÉLÈVE DANS LES AIRS.

MAIS LES CINQ COMPAGNONS IGNORENT QUE MASON, DU FOND D'UNE EMBRASURE, LES A VUS PARTIR GRÂCE À UNE PUISSANTE LUNETTE.

PAS DE DOUTE... CE SONT EUX!

CEPENDANT DANS SA COURSE RAPIDE, LE SPHÉROS NE TARDE PAS A' ATTEINDRE LES CONFINS DE L'IM-MENSE CAPITALE...

...OÙ IL S'ENGOUFFRE DANS UN PRODIGIEUX TUNNEL...

Nous allons arriver à Migos, terminus des lignes aériennes, où nous changerons de moyen de transport...

PEU APRÈS , DANS LA TOUR DE CONTRÔLE DE L'AÉROGARE ...

Alors, c'est bien compris ?

Parfaitement, Contarkos. Les voilà précisément qui arrivent...

AYANT ABANDONNÉ LEUR ENGIN VOLANT, LE PRINCE ET SES COMPAGNONS MONTENT A' BORD D'UN MONORAIL A PILOTAGE ROBOT QUI LES ATTENDAIT.

DÉMARRANT AUSSITÔT, LE MONORAIL ACCÉLÈRE RAPIDEMENT ET FILE BIENTÔT COMME UNE FLÈCHE ...

LES HEURES PASSENT...IL FONCE MAINTENANT A' TRAVERS UNE RÉGION DÉSERTIQUE PAR-SEMÉE DE RUINES ÉTRANGES ...

Ce sont les vestiges des monuments construits jadis par les barbares refoulés par nos ancêtres.

Les barbares ?.. Quels barbares ?..

Les descendants des peuples sauvages qui vivaient aux frontières de l'Atlantide, à l'épo-que de son engloutissement, et que nous avons colonisés...

...Après le désastre, plusieurs de leurs princes se joignirent à nous dans notre exil volontaire. Mais après quel-ques siècles, ils devinrent agressifs et leurs entreprises mirent la nouvelle Atlantide à deux doigts de sa perte. Longtemps, il fallut les combattre. Finalement, ils furent rejetés loin d'ici et tenus depuis en respect. Malheureusement...

A' ce moment, le commandant de la station de Migos qui, depuis son départ, suit sur son tableau la marche du monorail robot, actionne brusquement un levier...

AUSSITÔT LE VÉHICULE QUI JUSTEMENT ATTAQUAIT UNE COURBE QUITTE SOUDAIN SON RAIL ! PROJETÉ DANS LE VIDE...

...IL HEURTE UNE FALAISE ET, DANS UN HORRIBLE FRACAS, VIENT S'ÉCRASER AU FOND D'UN TORRENT...

Voilà qui est fait !!!

29

PEU APRÈS, MAGON, ENFERMÉ DANS SON CABINET, ÉCOUTE LE RAPPORT QUE SON HOMME DE MAIN LUI TRANSMET DEPUIS LA TOUR DE CONTRÔLE DE MIGOS...

...Comme le monorail que je dirigeais par télécommande abordait la courbe, j'ai... exécuté vos ordres ! La voiture est tombée dans le torrent, mais par miracle, le prince, les deux terriens et un garde en sont sortis indemnes. En ce moment...

Malédiction !...

...UN MONORAIL DE SECOURS QUITTE LE LIEU DE LA CATASTROPHE AVEC, À SON BORD, LES QUATRE RESCAPÉS...

Eh bien ! Ils peuvent se vanter d'avoir de la chance !

DEUX HEURES PLUS TARD, À OMÉGARA, DERNIER POSTE ATLANTE...

Salut, prince ! Je me réjouis de te voir sorti sain et sauf de ce malheureux accident.

Merci, Phokis, mais hélas ! j'ai perdu un de mes meilleurs hommes...

Mais, dis-moi, notre char est-il prêt ?... Il faut que nous poursuivions notre route sans tarder...

Certes !... On le sort précisément...

EN EFFET, SUR LE TERRE-PLEIN, DES HOMMES S'AFFAIRENT AUTOUR D'UN CHAR AUX FORMES PUISSANTES...

Y as-tu fait placer les équipements nécessaires ?

Tout y est, Stratégos, vous disposez d'une autonomie de dix jours au moins.

JUSTE AU MOMENT DE DÉMARRER, ICARE GLISSE RAPIDEMENT AU CHEF DE POSTE...

Nous resterons en liaison avec vous mais ne laissez pénétrer personne dans le secteur !

Très bien !...

ET LE VÉHICULE, DÉMARRANT AUSSITÔT, S'ÉLOIGNE RAPIDEMENT...

Il s'agit d'une partie de chasse, n'est-ce pas ?

Il paraît... Je me demande quelle espèce de gibier ils rapporteront !...

PENDANT DE LONGUES HEURES, LE BLINDÉ PROGRESSE OBSTINÉMENT LE LONG DE LA ROUTE LUMINESCENTE QUI SERPENTE À TRAVERS UN PAYSAGE DÉSOLÉ OÙ S'ÉLÈVENT, PAR-CI PAR-LÀ, QUELQUES VESTIGES D'ANCIENNES CITÉS BARBARES.

Allo ! Oméga !... Nous sommes au point "Lambda 2". Rien à signaler... Terminé !...

TANDIS QU'ILS S'ENFONCENT TOUJOURS PLUS AVANT DANS CES SOLITUDES DÉSERTIQUES, LE PRINCE PREND LA PAROLE...

Mes amis, je crois qu'il est de mon devoir de vous éclairer entièrement sur le but de cette expédition... J'ai cru tout d'abord qu'un adversaire inconnu n'en avait qu'à vous. Or tout maintenant semble prouver qu'il s'agit en réalité d'un complot beaucoup plus redoutable, c'est-à-dire d'une menace contre l'Atlantide elle-même !...

Que dites-vous ?

Quoi ?!...

...Oui, et je suis convaincu que l'explication du mystère gît à la frontière du royaume barbare, tout proche à présent... Prenez ces armes, vous pouvez en avoir besoin...

Ah ! je me sentirai plus tranquille avec ce joujou-là !

Merci, prince.

CEPENDANT, AU PALAIS, LE TRAÎTRE MAGON ET SES ACOLYTES, PENCHÉS SUR L'ÉCRAN D'UN RADAR, N'ONT PAS CESSÉ DE LES ÉPIER...

Ah ! Ah ! Ils se croient à l'abri en changeant leur longueur d'onde !... Mais nous avons d'autres moyens !... Où sont-ils ?

Ils approchent du gong sacré"

IGNORANT DU DANGER, LE VÉHICULE POURSUIT SA ROUTE, MAIS MORTIMER, SUBITEMENT, POUSSE UN CRI...

Voyez donc !!!

?

!

TEL UN OISEAU DE MAUVAIS AUGURE, UN HOMME VOLANT VIENT DE PASSER COMME UN TRAIT ENTRE DEUX PUISSANTS PANS DE MURS ÉCROULÉS...

Un Planos !... par ici ?! Voilà qui est suspect ! Il faut voir ça de près... En avant Aribal !

Oui, chef !

LE CHAR QUITTANT AUSSITÔT LA ROUTE, FONCE À TRAVERS LE CHAOS DES BLOCS ÉPARS, VERS L'ENDROIT OÙ S'EST CACHÉ L'ESPION.

Malheur ! Ils m'ont vu !

Là-bas ! derrière ce mur !...

L'HOMME S'ÉLANCE AUSSITÔT, VOLANT EN RASE-MOTTES VERS SON REPAIRE SITUÉ DANS UNE RUINE PROCHE...

Il faut à tout prix que j'avertisse le Contarkos !

... D'OÙ, GRÂCE À UN APPAREIL SOIGNEUSEMENT DISSIMULÉ, IL SE MET EN TOUTE HÂTE EN COMMUNICATION AVEC MAGON...

Ils m'ont repéré et me recherchent... Je les vois d'ici !...

Quoi !?! Par les Enfers ; s'ils s'emparent de lui, tout est perdu ! Vite, Théodos, ouvre le feu !

Oui, Seigneur.

SOUDAIN, AVEC UN SIFFLEMENT TERRIFIANT, UN TRAIT DE FEU VIENT FRAPPER LE ROC NON LOIN DU CHAR, PROVOQUANT UNE EXPLOSION FULGURANTE...

COUP SUR COUP, DEUX AUTRES ÉCLAIRS VIENNENT ENCADRER LE CHAR QUI AUSSITÔT SE MET À MANŒUVRER EN ZIG-ZAG, AFIN D'ÉCHAPPER À CE DANGER MORTEL.

CEPENDANT D'AUTRES SUIVENT, DE PLUS EN PLUS PRÉCIS, CAR, DE SA CACHETTE, L'ESPION RÈGLE LE TIR...

Plus à droite ! Encore !... Vite !

MAIS SOUDAIN, UN JET DE FEU DÉSINTÉGRANT JAILLISSANT D'UNE EXPLOSION TOUTE PROCHE, FUSE À TRAVERS L'EMBRASURE ET L'ANÉANTIT EN UNE FRACTION DE SECONDE.

AU MÊME INSTANT, LE PRINCE, VOYANT LE CERCLE DE FEU SE RESSERRER, CRIE.

Tous à terre ! et à l'abri, vite !!!

NOS AMIS ONT À PEINE TOUCHÉ LE SOL QU'UN ÉCLAIR AVEUGLANT, FRAPPANT LE CHAR DE PLEIN FOUET, L'ANNIHILE AINSI QUE LE GARDE QUI N'A PU SE GARER À TEMPS.

CROYANT AVOIR DÉTRUIT NON SEULEMENT LE TANK MAIS TOUS CEUX QUI LE MONTAIENT, MAGON POUSSE UN CRI DE TRIOMPHE.

Touché ! Bravo Théodos. Vite, contactez le Planos !

MAIS C'EST EN VAIN QUE KAFIT MULTIPLIE SES APPELS À L'ESPION...

Rien à faire ! Notre homme ne répond plus...

Il doit avoir été tué... Tant pis ! Nous n'avions plus besoin de lui...

L'ÉTRANGE PLUIE DE FEU AYANT CESSÉ, ICARE ET SES COMPAGNONS, SORTIS DE LEUR ABRI, SE CONCERTENT...

Nous ne sommes plus que trois maintenant! Mais grâce à la précaution que j'ai prise de couper la T.V. notre ennemi inconnu qui n'a pu nous suivre que par radar, doit être persuadé qu'il nous a anéantis en même temps que le char. Je propose donc de nous cacher ici et d'attendre...

...qu'il vienne sur place...

...et ainsi, nous saurons à qui nous avons affaire!

CEPENDANT, AU PALAIS, LA NOUVELLE DE LA DISPARITION DU PRINCE A SUSCITÉ UNE EXTRAORDINAIRE ÉMOTION...

Oui, il paraît que le poste d'Omegara, ayant entendu de lointaines explosions, a envoyé une patrouille sur place. Celle-ci a trouvé le terrain dévasté mais n'a pu découvrir aucune trace du prince et de ses compagnons...

Étrange!

Il est certain que la mort du prince pourrait avoir de graves conséquences pour l'avenir de l'empire. Il était l'héritier du Basileus et...

Je comprends! A ce propos, sais-tu que le Basileus a appelé Magon?

EN EFFET, LE CHEF DE L'ÉTAT A CONVOQUÉ LE PHULACONTARQUE.

Il faut que tu ailles là-bas faire personnellement une enquête. Icare avait une mission précise et... très secrète!

Secrète?... Mais je croyais qu'il s'agissait d'une partie de chasse dans...

C'était le prétexte officiel. En réalité, mon neveu avait découvert une menace très grave contre la sécurité de l'empire. Mais n'ayant que des présomptions, il n'avait rien voulu révéler avant de pouvoir fournir au Grand Conseil une preuve formelle à l'appui de ce qu'il appréhendait... Tout ce que je sais, c'est qu'il comptait explorer la zone frontière au-delà de la "Grande Porte"!... Alors, va et fais diligence! Que tout ceci reste secret...

Compte sur moi, ô Basileus!

BIEN QU'IL S'EFFORCE DE RESTER IMPASSIBLE, MAGON, EN SORTANT, NE PEUT DISSIMULER SES SENTIMENTS.

Vois son air triomphant!

Quoi d'étonnant! La mort d'Icare le rapprocherait singulièrement du trône!

Pas si haut! C'est imprudent!...

PASSANT DEVANT THÉODOS, MAGON LUI GLISSE RAPIDEMENT...

Alerte nos amis... A la troisième heure où tu sais...

Bien, Maître!

A L'HEURE DITE, LE CONTARKOS QUITTE DISCRÈTEMENT LE PALAIS ET S'ENGOUFFRE DANS UNE VOITURE...

...QUI DÉMARRE AUSSITÔT. FILANT RAPIDEMENT A TRAVERS L'INCROYABLE LABYRINTHE DES VOIES QUI SILLONNENT POSÉIDOPOLIS...

...ELLE GLISSE BIENTÔT DANS LE TUNNEL QUI CONDUIT AU QUARTIER RÉSIDENTIEL RÉSERVÉ AUX HAUTS FONCTIONNAIRES DE L'ÉTAT.

...ET VIENT FINALEMENT STOPPER DEVANT LE PORTAIL D'UNE RICHE DEMEURE DRESSÉE AU MILIEU D'UN ADMIRABLE JARDIN ARTIFICIEL.

QUELQUES INSTANTS PLUS TARD, MAGON FAIT SON ENTRÉE DANS UNE VASTE PIÈCE OÙ SE TROUVENT RÉUNIS UNE DOUZAINE DE PERSONNAGES.

Salut!

Salut à tous!

Salut!

TOUT DE SUITE ENTOURÉ, IL DÉCLARE, EXULTANT:

J'apporte de grandes nouvelles!! Seigneurs, l'heure est venue de passer à l'action!

Parle!

Parle!

Comme moi, vous voulez secouer le joug séculaire de cette dynastie abhorrée. Comme moi, vous refusez de suivre le tyran actuel dans ses projets insensés. Comme moi, vous voulez remonter vers la lumière, reprendre aux Terriens l'espace qu'ils ont usurpé et voir à nouveau la puissante Atlante imposer sa loi au monde. Tout cela est désormais à notre portée! En effet, à la suite de circonstances extraordinaires dont je ne puis vous parler pour l'instant, un allié providentiel nous est arrivé. Il a si bien réussi à rallier les barbares à nos projets que le roi Tlalak est prêt à mettre ses troupes à notre disposition. Il n'attend que mon signal! Qu'en dites-vous?...

UN MURMURE FLATTEUR ACCUEILLE CES PAROLES, MAIS L'UN DES CONJURÉS INTERVIENT...

Ce que tu dis là, Magon, réjouit nos cœurs. Mais ne crains-tu pas que les barbares, une fois la victoire assurée, ne se montrent... exigeants? Ne pourrions-nous agir seuls?

Impossible! Nous sommes trop peu nombreux et le prestige du Basileus est encore trop grand. Un choc violent est nécessaire pour secouer la torpeur résignée des Atlantes.

Croyez-moi, laissons-leur le... gros travail! et si par après, ils devenaient trop encombrants, eh bien! nous avons les moyens de nous en débarrasser!...

Magon a raison!

Oui, oui!

C'est juste!

Bien parlé!

Parfait! Je vais là-bas... Que chacun occupe son poste dès maintenant et agisse avec rapidité. L'attaque peut être déclenchée d'un moment à l'autre!... Ah... un brassard à soleil noir distinguera nos partisans!... Allez!...

CEPENDANT, ICARE ET SES COMPAGNONS ONT POURSUIVI LEUR ROUTE EN FAISANT UN GRAND DÉTOUR PAR DES SENTIERS PERDUS ET OBSCURS, AFIN D'ÉCHAPPER AUX RECHERCHES ET DE DONNER LE CHANGE À LEUR ENNEMI ENCORE INCONNU... ILS VIENNENT DE S'ARRÊTER SUR LES RIVES D'UN TORRENT AUX EAUX TUMULTUEUSES, LORSQUE ICARE LANCE BRUSQUEMENT...

Une patrouille fluviale! Cachons-nous!...

AU MÊME INSTANT, UNE EMBARCATION AUX FORMES ÉTRANGES, MONTÉE PAR UN GROUPE DE PHULOS, SURGIT, BALAYANT LES ALENTOURS DU FAISCEAU DE SES PUISSANTS PROJECTEURS...

Mais d'où viennent-ils donc?

D'un des ports situés sur la côte...

Sur la côte?!

Oui. L'Atlantide est sillonnée de cours d'eau qui viennent se jeter dans une vaste mer intérieure. Il est même possible d'atteindre la capitale en traversant cette étendue. Malheureusement, les tempêtes y sont fréquentes et dangereuses! Mais les voilà partis... Allons, mes amis, en route!...

LA MARCHE A REPRIS... ENFIN, APRÈS PLUSIEURS HEURES, ILS ARRIVENT EXTÉNUÉS À LA GRANDE CHAUSSÉE ET DÉJÀ MORTIMER S'APPRÊTE À Y PRENDRE PIED...

Enfin, nous allons pouvoir marcher normalement!...

MAIS ICARE L'ARRÊTE...

Halte! Nous serions immanquablement repérés par ces relais qui jalonnent ces chaussées, et aussitôt signalés! Il nous faut au contraire nous tenir en contrebas. D'ailleurs, nous touchons au but...

Diable!

EN EFFET, AU BOUT DE QUELQUES MINUTES, APPARAÎT, PLANTÉE SUR UN PITON ROCHEUX, UNE HAUTE TOUR À GRADINS À DEMI RUINÉE, RELIÉE À LA CHAUSSÉE PAR UN PONT.

LES TROIS HOMMES SE SONT IMMOBILISÉS.

Qu'est ceci?

Le Gong Sacré!... C'était jadis l'ultime poste de guet qui commandait le défilé par lequel déferlaient les invasions barbares... Un énorme gong le surmonte... Le son de celui-ci, grâce à un étrange phénomène d'échos, s'entendait jusqu'à Poséidopolis!...

MAIS BLAKE, QUI SCRUTAIT L'HORIZON AVEC ATTENTION, L'INTERROMPT SOUDAIN...

Quelque chose remue à l'entrée du pont!...

PRESQUE SILENCIEUSEMENT UN CHAR VIENT DE SURGIR, VENANT DANS LEUR DIRECTION. NOS TROIS AMIS S'APLATIS-SENT AUSSITÔT DERRIÈRE LES ROCHERS...

LENTEMENT, IL REMONTE LA ROUTE, TANDIS QUE SES OCCUPANTS SCRUTENT MÉTHODIQUEMENT LES ALENTOURS...

Ce sont des hommes d'Ornégara... Il ne faut pas qu'ils nous repèrent !

L'ALERTE PASSÉE, ICARE, BLAKE ET MORTIMER SE SONT REMIS EN MARCHE ET, APRÈS AVOIR FRANCHI LE PONT BRAN-LANT QUI RELIE, PAR-DESSUS L'ABÎME, LA CHAUSSÉE À LA TOUR, ILS PÉNÈTRENT SOUS LE PORCHE DE L'ANTIQUE FORTERESSE...

Ici, nous serons à l'abri !

Formidable !...

Extraordinaire !...

PRUDEMMENT, ILS S'AVANCENT PARMI LES DÉCOMBRES DES SALLES À DEMI RUINÉES.

Les gardes se tenaient ici jadis...

MAIS DU PIED, ICARE VIENT DE HEURTER UN OBJET MÉTALLIQUE FICHÉ EN TERRE...

Quoi ?... Un désintégrateur ?... Que fait-il ici ?...

Il a dû tomber de haut pour s'être enfoncé ainsi !

C'est juste. Ah ! voyez... Le plafond a cédé !...

Serait-ce possible !?... C'est l'ancienne chambre du Comman-dant. On n'y monte plus guère, l'escalier s'est effondré ! Ah ! Il faut nous en assurer...

AYANT SOIGNEUSEMENT REPLACÉ LA DALLE, ICARE ET SES COMPAGNONS S'EMPRESSENT DE GAGNER LE HAUT DE LA TOUR...

En cas d'alerte, nous avons la chambre de guet !

Voilà un fameux observatoire !...

S'AGRIPPANT DES PIEDS ET DES MAINS, NOS COMPAGNONS MONTENT JUS-QU'À UNE PIÈCE PLUS PETITE PAVÉE DE DALLES. L'UNE D'ELLES ATTIRE AUS-SITÔT L'ATTENTION DE BLAKE.

Voyez ! Là... Je parie...

EN EFFET, LA DALLE SOULEVÉE DÉCOUVRE UNE PROFONDE EXCAVATION BOURRÉE D'OBJETS...

Par Zeus ! Que vois-je !?... Des équipe-ments !... des armes !...

Voilà qui ressemble singulièrement à un dépôt clandestin !...

Peut-être y en a-t-il d'autres ?...

Nous n'avons pas le temps de nous en assu-rer... Mais si un dépôt a été établi ici, c'est que l'on compte revenir ! Voilà une occasion à ne pas manquer !... Allons nous embusquer sur la terrasse qui se trouve juste au-des-sus de cette pièce ; de là, nous pourrons voir sans être vus et identifier enfin nos adversaires...

Bonne idée !

LE SITE EST FAROUCHE... DES FALAISES ABRUPTES, S'ÉLEVANT JUSQU'À LA VOÛTE OBSCURE, ENVIRONNENT LA TOUR DE TOUTES PARTS. SEULE, UNE FAILLE HAUTE ET ÉTROITE, DANS LAQUELLE LA CHAUSSÉE DISPARAÎT, S'OUVRE BÉANTE...

Quelle est donc cette sinistre gorge ?

Bon sang ! quel décor !...

Le défilé de la Flèche par où déferlaient jadis les hordes barbares lancées à l'assaut de l'Atlantide... Lorsqu'elles furent enfin rejetées définitivement au-delà du Grand Canon, le pont naturel qui enjambait celui-ci fut détruit et le défilé fermé par une gigantesque porte de bronze !

Hello ! Voilà de la visite !!!

EN EFFET, AU LOIN, SUR LA ROUTE, UN CONVOI APPROCHE RAPIDEMENT...

C'EST L'EXPÉDITION CONDUITE PAR MAGON. CINQ CHARS VOLANTS, MÛS PAR DES MOTEURS ATOMIQUES À RÉPULSION ÉLECTROMAGNÉTIQUE, ET TRANSPORTANT UNE CENTURIE DE PHULOS EN TENUE DE GUERRE, SE DÉPLACENT AU RAS DU SOL AVEC VÉLOCITÉ !...

DANS LE CHAR DE COMMANDEMENT...

Aucune crainte de ce côté. Je réponds des contingents des trois premiers chars. Ce sont des hommes sûrs et prêts à obéir aveuglément sans demander d'explications...

Parfait !... Théodos, arrange-toi pour éloigner les autres en les chargeant de patrouilles lointaines...

Bien, seigneur !

QUELQUES INSTANTS PLUS TARD, LE CONVOI STOPPE DEVANT L'ENTRÉE DE LA TOUR ET, TANDIS QUE LES HOMMES SE REGROUPENT, LE CONTARKOS, SUIVI DES CHEFS DE SA GARDE PERSONNELLE, S'AVANCE VERS LE PORCHE...

Ah ! Ah ! J'ai idée que cette fois, notre fameux gong ne portera pas l'alarme jusqu'à Poséidopolis !

...ET PÉNÈTRE PEU APRÈS DANS LA SALLE DES GARDES...

Ici, nous serons tranquilles !...

Donc, c'est bien compris ?... Sitôt les troupes fidèles éloignées, nos hommes prendront position aux endroits désignés, avec mission de neutraliser toute troupe venant de la capitale. Théodos, Kafit et 20 hommes d'élite, dont 10 planos, m'accompagneront là-bas... En cas d'imprévu, nous avons de quoi tenir tête à quiconque. De grandes quantités d'armes du type le plus récent ont été entreposées en ce lieu ; chaque dalle de...

MAIS UN CRI L'INTERROMPT...

Contarkos ! Vois donc ceci !!

Qu'y a-t-il ?!...

L'HOMME VIENT D'APERCEVOIR LE DÉSINTÉGRATEUR QUE NOS TROIS AMIS ONT MALHEUREUSEMENT OUBLIÉ LÀ OÙ ILS L'AVAIENT TROUVÉ...

Par l'enfer ! Que signifie ceci ?!...

Kafit ! Prends deux hommes et va voir là-haut si quelqu'un a touché à la cachette... Jette également un coup d'œil sur les appareils de détection qui se trouvent dans la chambre de guet...

Bien, seigneur !...

À CE MOMENT THÉODOS ENTRE...

Tes ordres ont été exécutés, les éléments douteux s'éloignent...

Très bien !... Mais avant de nous mettre en route, il nous reste à accomplir une petite formalité !...

OUVRANT UN COFFRET, IL EN RETIRE UN BRASSARD...

Que chacun de vous porte ce signe de ralliement, qui seul distinguera l'ami de l'ennemi dans la lutte qui se prépare !...

ET TANDIS QUE TOUS S'EMPRESSENT DE SE PASSER AU BRAS L'EMBLÈME DE LEUR FÉLONIE, LES TROIS HOMMES ENVOYÉS EN RECONNAISSANCE REDESCENDENT...

Eh bien, Kafit ?

Rien de suspect, Contarkos !... Sous le poids, l'une des dalles, déjà fendue, avait cédé !...

Bon ! Alors en route !

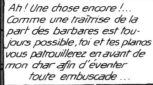

Ah ! Une chose encore !... Comme une traîtrise de la part des barbares est toujours possible, toi et tes planos vous patrouillerez en avant de mon char afin d'éventer toute embuscade...

À tes ordres, Seigneur !

ET QUELQUES INSTANTS PLUS TARD, ENTOURÉ DE SES GARDES VOLANTS, LE CHAR DE MAGON PÉNÈTRE DANS LE DÉFILÉ DE LA FLÈCHE !...

Une fois l'affaire conclue, nous devons immédiatement nous emparer d'Omégara par surprise, afin que sa garnison ne puisse pas donner l'alarme. Ce poste tombé, la route de la capitale nous sera ouverte !...

...Et il n'y a guère de danger qu'elle résiste. Nous avons la haute main sur les armements ainsi que sur la centrale atomique. D'ailleurs, amollis par une longue paix, nos chers compatriotes ne feront pas long feu !...

MAIS VOICI QU'A UN COUDE VIENT D'APPARAÎTRE LA PORTE DE BRONZE QUI COMMANDE L'ENTRÉE DE L'ATLANTIDE ...

AYANT MIS PIED À TERRE, MAGON VIENT APPLIQUER LA MAIN SUR L'UN DES DISQUES QUI ORNENT LA PORTE ET CELUI-CI S'ÉCLAIRE AUSSITÔT...

...CE GESTE, METTANT EN ACTION UNE CELLULE PHOTOÉLECTRIQUE DESTINÉE À IDENTIFIER LES EMPREINTES DES MEMBRES DU GRAND CONSEIL, DÉCLENCHE L'OUVERTURE DE LA PORTE DÉCOUVRANT UN PROFOND PRÉCIPICE...

Que cinq phulos restent ici et qu'ils se montrent vigilants !

Bien seigneur !

L'INSTANT D'APRÈS, LE CHAR VOLANT, ET SA GARDE, FRANCHIT L'ABÎME POUR GAGNER LA RÉGION INTERDITE...

PRUDEMMENT, LE CONVOI LONGE LA ROUTE QUI CONDUIT AUX MURS D'ORICHALQUE. MAIS AU FUR ET À MESURE QU'IL S'ENFONCE, LA CONTRÉE DEVIENT PLUS HOSTILE ET PLUS SAUVAGE, TANDIS QUE LES TIRAILLEURS VOLANTS REDOUBLENT DE VIGILANCE.

Nous devons approcher du carrefour de la "grosse tête". Je me demande...

AU MÊME MOMENT, KAFIT, S'ADRESSANT À SON CHEF PAR RADIO, SIGNALE...

Allo ! du char, ici Kafit. Trois hommes attendent à la bifurcation...

EN EFFET, DEBOUT AU PIED DE L'ÉNORME MONOLITHE QUI MARQUE L'AMORCE DU SENTIER MENANT AU PAYS BARBARE, TROIS GUERRIERS IMPASSIBLES REGARDENT VENIR LES ATLANTES...

La paix sur toi, ô chef ! Nous avons ordre de te conduire au grand roi Tlalac !... Mais il te prie de n'emmener que trois compagnons avec toi.

Ah !... J'aurais dû m'en douter...

N'y va pas seigneur !... C'est un piège !...

Trop tard ! Nous ne pouvons plus reculer. Tu resteras ici avec le char, prêt à intervenir au premier signal. Kafit m'accompagnera avec deux de ses meilleurs planos !

Bien !

Allons ! Marche devant !... Mais malheur à vous si vous nous trahissez !

Notre langue n'est point fourchue, grand chef !...

ET SANS AJOUTER UN MOT, LES GUERRIERS S'ENGAGENT DANS LE SENTIER ACCIDENTÉ SUIVIS DE MAGON ET DE SES COMPAGNONS.

APRÈS AVOIR LONGTEMPS CHEMINÉ À TRAVERS L'INEXPUGNABLE CHAOS QUI PROTÈGE LES FRONTIÈRES DU ROYAUME BARBARE, LA PETITE TROUPE DÉBOUCHE ENFIN DANS UNE SORTE DE CIRQUE GRANITIQUE AU MILIEU DUQUEL S'ÉLÈVE UN TEMPLE AUX FORMES MASSIVES...

Quel bel endroit pour un traquenard !...

AU MÊME INSTANT, LE SON RAUQUE D'UNE TROMPE ÉCLATE, RÉPERCUTANT SES ÉCHOS ENTRE LES HAUTES MURAILLES DE PIERRE...

...À CE SIGNAL, UNE NUÉE DE GUERRIERS EN ARMES SURGISSENT DES ROCS DERRIÈRE LESQUELS ILS SE TENAIENT DISSIMULÉS, CERNANT COMPLÈTEMENT LES ATLANTES STUPÉFAITS...

Enfer !...

DÉJÀ CES DERNIERS S'APPRÊTENT À VENDRE CHÈREMENT LEURS VIES, LORSQUE TLALAC, FLANQUÉ DE SES GARDES DU CORPS, APPARAÎT À LA PORTE DU TEMPLE...

MAGON S'AVANCE AUSSITÔT VERS LE BARBARE QUI LE REGARDE APPROCHER AVEC UN SOURIRE SARCASTIQUE...

Salut ô Roi ! Me voici venu, comme je l'avais promis... Mais pourquoi ce déploiement de forces ?...

Je voulais simplement éprouver le courage de mes futurs alliés... Entre !

OBÉISSANT À CETTE INVITATION, MAGON, SUIVI DE SES HOMMES, PÉNÈTRE DANS LE SANCTUAIRE DONT LA LOURDE PORTE SE REFERME AUSSITÔT...

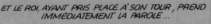
Prends ce siège, Magon !

ET LE ROI, AYANT PRIS PLACE À SON TOUR, PREND IMMÉDIATEMENT LA PAROLE...

Jouons cartes sur table ! J'ai percé ton jeu, Magon !... Un envoyé providentiel m'a instruit de tout ce que tu m'avais si soigneusement caché.... Je connais à présent la fabuleuse richesse des cités de la terre, la beauté et l'étendue des vastes empires que tu comptes conquérir, grâce à tes armes maudites, lorsque moi et les miens t'auront permis de t'emparer du pouvoir. Je sais aussi que le royaume que tu m'as réservé en récompense de mes services n'est en réalité qu'une île perdue au milieu de l'océan, où mon peuple et moi serions de véritables captifs soumis à ton bon plaisir. Ah ! Ah ! Tout est changé maintenant ! Plus de marché de dupes !... À moi toutes les terres à l'ouest de l'Océan, à toi celles de l'Est. Voilà mes conditions !... Qu'as-tu à répondre ?...

VISIBLEMENT ABASOURDI, MAGON RÉPOND AVEC EFFORT...

Tu... parais étrangement bien renseigné, Tlalac ! Puis-je connaître celui qui t'a si bien conseillé ?...

Volontiers !

LE ROI FAIT UN SIGNE, ET AUSSITÔT UN HOMME SORTANT DE L'OMBRE OÙ IL SE TENAIT, S'AVANCE EN PLEINE LUMIÈRE... C'EST OLRIK ! OLRIK LE RENÉGAT ! OLRIK QUE L'ON AURAIT CRU MORT, ENGLOUTI À JAMAIS DANS LES CHAUDRONS DE L'ENFER !!!

Un terrien !?! Encore un !?!

Raconte ton histoire à ce seigneur...

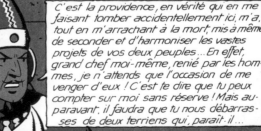

S'ADRESSANT À MAGON, L'AVENTURIER DÉCLARE...

C'est la providence, en vérité qui en me faisant tomber accidentellement ici, m'a, tout en m'arrachant à la mort, mis à même de seconder et d'harmoniser les vastes projets de vos deux peuples... En effet, grand chef moi-même, renié par les hommes, je n'attends que l'occasion de me venger d'eux ! C'est te dire que tu peux compter sur moi sans réserve ! Mais auparavant, il faudra que tu nous débarrasses de deux terriens qui, paraît-il...

ICI, MAGON, QUI A RÉUSSI ENFIN À RECOUVRER SON SANG-FROID L'INTERROMPT...

S'il s'agit de Blake et de Mortimer, sois satisfait : ils ont péri, par mes soins, il y a peu d'heures !...

Ah ! Tu m'en vois réjoui, car...

MAIS BRUSQUEMENT DES COUPS VIOLENTS ACCOMPAGNÉS DE CRIS SONT FRAPPÉS SUR LA PORTE...

BOM BOM
BOM !

FURIEUX, TLALAC SE DRESSE D'UN BOND ET RUGIT...

Qui ose !?... Qu'on mette à mort cet...

MAIS IL N'A PAS LE TEMPS D'ACHEVER SA PHRASE, CAR LA PORTE OUVERTE AVEC VIOLENCE VIENT DE LIVRER PASSAGE À UN HOMME HAGARD ET À DEMI VÊTU QUE MAINTIENNENT DEUX GUERRIERS... C'EST KAFIT, LE LIEUTENANT DU CONTARKOS...

Magon ! Nous sommes trahis !

À CETTE VUE, MAGON NE PEUT RETENIR UN CRI...

KAFIT !?!

STUPÉFIÉS, LES ASSISTANTS N'ONT PAS LE TEMPS DE SE RESSAISIR CAR AU MÊME INSTANT UNE VOIX IMPÉRATIVE ARTICULE...

Pas un geste où ces trois hommes sont morts !...

CELUI QUI VIENT DE PRONONCER CES MOTS ET QUI S'ÉTAIT FAUFILÉ DERRIÈRE KAFIT, EST LÀ, L'ARME BRAQUÉE SUR LE CONTARKOS, TANDIS QUE SES DEUX COMPAGNONS TIENNENT EN RESPECT LE ROI ET OLRIK MÉDUSÉS...

Les mains en l'air et n'essaye pas de prendre ton pistolet !

Et maintenant tous dehors ! Sauf ces trois-ci !... Allons ! Plus vite que ça !

ET COMME L'ORDRE N'EST PAS SUIVI INSTANTANÉMENT, UN JET DE FEU VIENT BALAYER LE SOL, FAISANT REFLUER EN DÉSORDRE KAFIT ET LES BARBARES...

Les voilà partis ! Blake, Mortimer, vite ! Fermez la porte et mettez les verrous !...

À CES MOTS TLALAC, MAGON ET OLRIK RÉAGISSENT DIFFÉREMMENT...

Quoi ?... Je rêve !!! Cette voix ?...

Malédiction ! Eux !!! Toujours eux !!!...

Que le feu de Huehueteotl vous pulvérise !... Que signifie tout ceci ?...

Oui, Magon ! Tu m'as deviné ! Je suis le prince Icare ! Mes compagnons et moi nous avons assommé et dépouillé tes hommes dans la Tour du Gong où nous nous étions cachés, et d'où j'ai tout entendu ! Te voilà donc démasqué, Tourbe ! Toi en qui Basileus avait mis sa confiance. Tu as trahi l'Atlantide pour satisfaire ta misérable ambition !... Mais tu seras puni en proportion de l'horreur de ton crime !...

Vaines menaces, Icare, il vous sera impossible de quitter ce lieu !...

Oui, insensé ! Tu t'es livré toi-même ! Ce temple est sans issue et mes hommes le cernent ! Tu périras en holocauste avec tes deux complices !...

MAIS, MONTRANT UN ESCALIER QUI MÈNE À LA CRYPTE, ICARE RÉPLIQUE...

Trêve de bavardages, descendez là-dedans à l'instant !...

COMPRENANT QUE TOUTE RÉSISTANCE SERAIT VAINE, LES TROIS HOMMES OBTEMPÈRENT, LA RAGE AU CŒUR...

Nous nous reverrons !

UNISSANT LEURS FORCES, ICARE, BLAKE ET MORTIMER RABATTENT AUSSITÔT LA LOURDE DALLE QUI PERMET DE FERMER L'OUVERTURE...

Voilà qui est fait !... Voyons maintenant comment sortir d'ici !...

36

CEPENDANT AU-DEHORS, L'AGITATION EST À SON COMBLE. LES BARBARES, QUI NE COMPRENNENT RIEN À CE QUI VIENT D'ARRIVER, ENTOURENT, MENAÇANTS, LES CHARS ET LA PETITE TROUPE D'ATLANTES QUE KAFIT A AMENÉE JUSQUE LÀ.

Il faut faire quelque chose, Theodos ! Nous ne pouvons laisser le contarkos entre leurs mains !...

Je sais, Kafit, mais d'autre part, une intervention pourrait lui être fatale !...

MAIS VOICI QUE DANS LE TEMPLE OÙ NOS HÉROS RECHERCHENT FIÈVREUSEMENT UNE IMPROBABLE ISSUE, MORTIMER VIENT DE FAIRE UNE DÉCOUVERTE.

Là voyez ! Une fente entre ces blocs disjoints !...

Mais cette ouverture est trop étroite !...

Voyons un peu !

ET ICARE, SAISISSANT LE DÉSINTÉGRATEUR DE MORTIMER, LE POINTE VERS L'OUVERTURE EN DISANT :

Il y a moyen de remédier à cela !... En l'agrandissant comme ceci... Voyez !

KAFIT EN ENTENDANT LES DÉTONATIONS, HURLE AFFOLÉ...

Vous entendez ?! On les tue !!!... Enfoncez la porte !!!...

AUSSITÔT L'UN DES CHARS, S'ÉLEVANT RAPIDEMENT LE LONG DE L'ESCALIER, VIENT SE PLACER CONTRE LA PORTE...

PUIS D'UNE PRESSION IRRÉSISTIBLE, IL FAIT SAUTER LES VENTAUX ET UNE PARTIE DE LA MURAILLE, OUVRANT UNE LARGE BRÈCHE !...

KRRRAK

Quoi !?... Personne !?!...

Ce n'est pas possible, il faut que...

AU MÊME INSTANT, LA TROMPE DU VEILLEUR QUI SURVEILLE L'ENTRÉE DU DÉFILÉ RETENTIT FURIEUSEMENT...

WEUH !

BONDISSANT AU-DEHORS, KAFIT ET THÉODOS ARRIVENT JUSTE À TEMPS POUR APERCEVOIR ICARE, BLAKE ET MORTIMER QUI VIENNENT DE S'ÉLANCER DU TOIT...

Enfer ! Ils s'échappent !!!...

...ET QUI, PROFITANT DE LA CONFUSION GÉNÉRALE FONCENT DROIT SUR L'ARCHE...

Tirez ! Mais tirez donc !!!...

LE DEUXIÈME CHAR, BRAQUANT SON PROJECTEUR À RAYONS SUR LES FUYARDS, LANCE SOUDAIN UNE FULGURANTE DÉCHARGE...

ZZZIT

MAIS CELLE-CI, MANQUANT SON BUT, VIENT FRAPPER L'ARCHE COLOSSALE QUI S'EFFONDRE AUSSITÔT DANS UN FRACAS ÉPOUVANTABLE !!!...

BRROMM

37

ÉVITANT DE JUSTESSE LES DÉBRIS QUI SIFFLENT DANS L'AIR, NOS TROIS AMIS PROFITANT DU COURT RÉPIT QUI LEUR A AINSI ÉTÉ ACCORDÉ, S'ÉLANCENT DANS LE DÉFILÉ QUI MÈNE À LA "GROSSE TÊTE"...

EN EFFET, L'ARCHE EN S'ÉCROULANT, A BLOQUÉ MOMENTANÉMENT LE PASSAGE, ARRÊTANT NET L'ÉLAN DES BARBARES QUI DÉJA SE RUAIENT À LEUR POURSUITE. MAIS KAFIT, À CETTE VUE, HURLE AUSSITÔT...

Les planos à leur poursuite ! Vite !!!

CEPENDANT LES FUGITIFS VOLENT AUSSI VITE QUE LEUR PERMET LE TRACÉ SINUEUX DE L'ÉTROIT DÉFILÉ.

Tant que nous serons dans ces méandres, tout ira bien, mais...

À CET INSTANT MÊME, LE PASSAGE S'ÉLARGIT BRUSQUEMENT, DÉCOUVRANT UNE LONGUE LIGNE DROITE. LES TROIS HOMMES FONCENT PRESQU'AUSSITÔT...

Les voilà !...

ET TOUT À COUP, DE MEURTRIERS TRAITS DE FEU SE METTENT À ZÉBRER L'AIR AUTOUR D'EUX

Attention ! Ils...

ICARE N'A PAS LE TEMPS D'ACHEVER...

Ah! Mon appareil est touché !...

DÉSÉQUILIBRÉ, LE "PLANOS" SE MET À TOURNOYER ET TOMBE, MAIS...

...MORTIMER, QUI A VU LA SCÈNE, SE PRÉCIPITE ET PARVIENT À AGRIPPER LE HARNAIS D'ICARE...

Je vous soutiens! Que faut-il faire?...

Me poser au plus vite !...

AVISANT UNE ÉTROITE CORNICHE, LE PROFESSEUR PLONGE AVEC SON COMPAGNON, IMMÉDIATEMENT REJOINT PAR BLAKE...

ET TOUS TROIS COMMENCENT AUSSITÔT UN TIR NOURRI !...

UN COMBAT FURIEUX S'ENGAGE, MAIS LES ASSAILLANTS, CONFIANTS DANS LEUR NOMBRE, SE DÉCOUVRENT TROP IMPRUDEMMENT ET BIENTÔT...

...CINQ DES LEURS S'ABATTENT TANDIS QUE LES DEUX SURVIVANTS TOUCHÉS S'EMPRESSENT DE ROMPRE LE COMBAT...

Hurrah ! Nous en voilà débarrassés !...

Oui, mais... écoutez!...

DANS LES PROFONDEURS DU PASSAGE, UNE RUMEUR GRANDIT, MENAÇANTE...

Les Barbares arrivent !!!...

Oui, les barbares ! Mais sûrement avec eux, les chars volants. Et...inutile de vouloir résister à leur puissants désintégrateurs !... La situation est celle-ci : il faut que le Basileus soit averti dans le plus bref délai, de la trahison de Magon...Mon planös est détruit, abandonnez-moi ici et...

Jamais !

Jamais !

Merci, mes amis, votre geste me touche. Mais ce serait tout perdre ! Qu'au moins l'un de vous tente de passer : Pendant ce temps, mon compagnon et moi, nous essayerons d'attirer nos poursuivants dans une autre direction...

Eh bien, si Mortimer consent à rester avec vous, je veux risquer l'aventure...

Bravo, Francis ! Allez-y ! De notre côté, nous nous débrouillerons bien !

Très bien capitaine ! Dans ce cas, écoutez...

Lorsque vous arriverez à la "Grande Porte" faites ce signe-ci en disant "MISSI BAKA!" aux phulos de garde, il signifie "Mission Spéciale"! et passez hardiment...Pour le reste, agissez selon les circonstances...Mais par Zeus, faites vite !...

Entendu !

ET BLAKE S'ENVOLE AUSSITÔT...

Au revoir mes amis!...

Que les dieux vous protègent!...Et rappelez-vous : "Missi Baka".

Bonne chance, Blake !

IL ÉTAIT TEMPS ! À PEINE LE CAPITAINE A-T-IL DISPARU QU'APPARAISSENT LES BARBARES...

Nous allons leur envoyer une rafale afin de leur faire croire que nous sommes décidés à rester embusqués ici, puis nous gagnerons une faille étroite qui coupe ce défilé et où les chars ne pourront pas nous suivre...

UNE RAFALE SOULIGNE CES PAROLES, ET CE QUE LE PRINCE AVAIT PRÉVU SE RÉALISE, LES BARBARES SE REPLIENT EN DÉSORDRE...

...CE QUI PERMET AUX DEUX HOMMES DE S'ÉCLIPSER DE LEUR PRÉCAIRE ABRI...

Tenez ferme !

Ce ne sera pas long !...L'entrée se trouve à une portée de flèche...

LES DEUX HOMMES ONT TOUT JUSTE LE TEMPS DE S'Y ENGOUFFRER QUE DÉJÀ LE TERRIBLE RAYON D'UN CHAR VOLANT S'ABAT SUR L'ENDROIT QU'ILS VIENNENT DE QUITTER...

Nous sommes sauvés !

Ne crions pas victoire !...

EN EFFET, SI VITE QUE SE SOIT OPÉRÉE LEUR FUITE, ILS ONT ÉTÉ APERÇUS ET...

Malédiction ! Il nous ont joués! Je viens de les voir disparaître dans cette faille !!!...

Par l'enfer, en avant !!...

SURVOLANT LES ÉBOULIS, LE CHAR VIENT IMMÉDIATEMENT PRENDRE POSITION DEVANT LA FAILLE MAIS...

Malheur ! impossible de passer !

Qu'à cela ne tienne !...Balayez tout ce qui est accessible ! Vite !!!...

ET LE RAYON, ENTRANT EN ACTION, S'ATTAQUE AUX MURS DE ROC QUI S'EFFONDRENT DANS UN FRACAS DE TONNERRE, OBSTRUANT LE BOYAU PRESQUE JUSQU'À LA VOÛTE !...

BRRROOM

À CE MOMENT, MAGON, PÂLE DE RAGE ET D'HUMILIATION SURVIENT À BORD DU PREMIER CHAR, ACCOMPAGNÉ DE TLALAC ET D'OLRIK...

Alors?...

Ils sont là-dessous, contarkos! Cette fois, nous en avons fini avec eux !

Méfie-toi, seigneur ! Les deux terriens sont rusés, et...

Tu as peut-être raison...Radio, prenez ce message...

Or, juste à ce moment, Blake arrive en vue de la "Grande Porte"...

Prenons garde !...

41

TROIS PHULOS DE GARDE A' L'ENTRÉE ÉCOUTENT LES ÉCHOS LOINTAINS DU COMBAT...

Le tir a cessé...

Je voudrais bien savoir ce qui s'est passé!...

Ah!... Voyez, un planos!...

LES GARDES, SANS MÉFIANCE, REGARDENT BLAKE TRAVERSER L'ABÎME...

Un messager sans doute...

Nous allons le savoir...

MISSI BAKA!...

Hé, camarade!...

DÉJA', ILS S'APPRÊTENT A' LE QUESTIONNER, MAIS SANS RA-LENTIR, IL FAIT LE SIGNE CONVE-NU EN DISANT LE MOT DE PASSE ET...

...S'ÉLOIGNE A' TOUTE VITESSE, LAISSANT LA' LES DEUX HOMMES INTERLOQUÉS...

Heu!... Il a l'air bien pressé!...

Je me demande si...

A' CET INSTANT, LA RADIO DU POSTE ENTRE EN ACTION, C'EST LE CHAR DE MAGON QUI APPELLE...

Allô!... Oui, ici Bêta II... Arrêtez quiconque se pré-sentera?... Mais un planos en mis-sion spéciale vient justement de passer... Quoi?...

CETTE RÉPONSE INATTENDUE PLONGE LE CONTARQUE DANS UNE FUREUR TERRIBLE...

Enfer!!! Alertez la tour! Qu'on le rejoigne! Qu'on l'arrête à tout prix! S'il atteint Omégara, tout est perdu!!! Mais il me le faut vivant!...

Tout de suite seigneur!

C'est bien ce que je pensais!

SE RENDANT COMPTE QU'IL DOIT AGIR VITE ET ÉNERGIQUEMENT S'IL VEUT ÉVITER LA RUINE DE SES PLANS, MAGON DÉCIDE DE RENTRER IMMÉDIATEMENT A' POSEIDOPOLIS...

Je pars sans tarder, car chaque seconde compte! Toi, Tlalac, sois prêt avec tes guerriers, demain à la 9ème heure à l'endroit convenu!...

J'y serai, et malheur aux Atlantes!...

Quant à moi, je vais m'occu-per des deux autres!...

ET TANDIS QUE MAGON ET TLALAC S'EN VONT DANS DES DIRECTIONS OPPOSÉES, OLRIK ENTRE EN ACTION...

Qu'on fouille cette crevasse... et que personne ne puisse atteindre la frontière sans être repéré... Allez!...

OLRIK A DEVINÉ JUSTE : ICARE ET LE PROFESSEUR ONT SURVÉ-CU A' L'ATTAQUE DES RAYONS, S'ÉTANT CONTRAIREMENT AUX PRÉVISIONS DE KAFIT, RÉFU-GIÉS TOUT EN HAUT DE LA CREVASSE ET AYANT AINSI ÉCHAPPÉ A' L'ÉCRASEMENT.

Vous avez entendu ce qu'ils ont dit : l'assaut de l'Atlantide est fixé pour demain à la 9ème heure! Si d'ici là, l'un de nous trois n'a pas réussi à donner l'alarme, l'Empire est perdu!... Je connais un chemin détourné pour regagner la frontière mais la contrée qu'il faut traverser est tellement dangereuse que j'hésite à vous y entraîner!...

En route, Prince!... Tout vaut mieux plutôt que de finir ici, comme un rat dans un trou!...

MAIS TANDIS QUE NOS DEUX AMIS S'APPRÊTENT A' AFFRON-TER DE NOUVEAUX PÉRILS, BLAKE, ARRIVÉ EN VUE DE LA "TOUR DU GONG", VIENT DE REPÉ-RER DEUX CHARS IMMOBILISÉS A' PEU DE DISTANCE L'UN DE L'AUTRE. LE PILOTE DU PREMIER S'AFFAIRE AUTOUR DE SON ENGIN.

Personne, à part les pilotes!... Les troupes sont en mission sans doute... Si je pouvais m'approcher du... Mais qu'est ceci!?...

VOICI QUE, BRUSQUEMENT, LE HAUT-PARLEUR DE LA RADIO DU CHAR SE FAIT ENTENDRE...

Allo! Allo! Alerte à tous les chars! Ordre d'arrêter un planos isolé qui se dirige vers Omégara... Il s'agit d'un dangereux espion... Le prendre vivant!...

Par l'enfer!

L'HOMME S'EMPRESSE DE REMONTER A' BORD, MAIS JUSTE AU MOMENT OÙ IL VA GLISSER DANS LA CARLINGUE, IL APER-ÇOIT BLAKE QUI PLONGE SUR LUI COMME UN ÉPERVIER!...

COMPLÈTEMENT SURPRIS, LE GARDE N'A PAS LE TEMPS D'ES-QUISSER UN GESTE CAR...

UN FORMIDABLE UPPERCUT L'ENVOIE ROULER, ASSOM-MÉ, SUR LA CHAUSSÉE... MALHEUREUSEMENT...

...LA SCÈNE A ÉTÉ VUE PAR LE PILOTE DE L'AUTRE CHAR, QUI A ÉGALEMENT REÇU LE MESSAGE ET QUI MET AUSSI-TÔT SON ENGIN EN MARCHE...

40

BLAKE S'EST AUSSITÔT GLISSÉ AU POSTE DE PILOTAGE ET BIEN QU'UN PEU DÉSORIENTÉ, IL PARVIENT À DÉCOLLER...

Ah! Enfin!...

MAIS IL N'A PAS LE TEMPS DE PRENDRE DE LA VITESSE CAR DÉJÀ L'AUTRE CHAR EST DEVANT LUI, BARRANT LE PASSAGE...

Heavens!

...TANDIS QU'UNE DEMI-DOUZAINE DE PHULOS, ALERTÉS, EUX AUSSI, DÉBOUCHENT DE LA TOUR EN CRIANT...

Visez les stabilisateurs!...

MENACÉ DE DEUX CÔTÉS À LA FOIS, BLAKE, RISQUANT LE TOUT POUR LE TOUT, TIRE À FOND LE PALONNIER ET LE CHAR, SE CABRANT LITTÉRALEMENT, BONDIT AU-DESSUS DE SON ADVERSAIRE EN LUI ARRACHANT SES SUPERSTRUCTURES ET SON ÉMETTEUR DE RAYONS...

L'ENGIN DÉSÉQUILIBRÉ, SE RENVERSE ET UNE FLAMME ÉNORME JAILLIT, FORMANT UNE BARRIÈRE DE FEU ENTRE BLAKE ET LES PHULOS...

BIEN QUE GRAVEMENT ENDOMMAGÉ LUI-MÊME PAR LE CHOC, LE CHAR DU CAPITAINE GUIDÉ PAR LES RELAIS QUI JALONNENT LA CHAUSSÉE, POURSUIT SA COURSE FOLLE EN FAISANT DES EMBARDÉES DÉSORDONNÉES.

Jamais je ne tiendrai avec des soubresauts pareils! Si j'alertais Omégara?...

HÉLAS! L'APPAREIL DE TRANSMISSION A ÉTÉ MIS HORS D'USAGE...

Rien à faire!... Il faut que...

À CE MOMENT, UN COUP D'ŒIL JETÉ DERRIÈRE LUI, LUI RÉVÈLE QU'IL EST POURSUIVI...

Déjà!?!...

RAMENANT SON REGARD DEVANT LUI, IL APERÇOIT AU LOIN D'AUTRES CHARS QUI S'ÉLANCENT À SA POURSUITE...

Trop tard!!...

LE CAPITAINE VEUT RALENTIR POUR FAIRE FACE... MAIS IL SENT SOUDAIN QU'IL A PERDU LE CONTRÔLE DE SON ENGIN QUI, APRÈS UN DERNIER BOND, SE RUE CONTRE UN PYLONE...

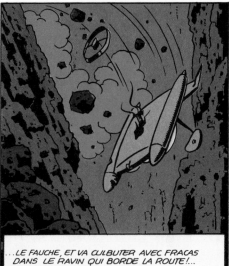

...LE FAUCHE, ET VA CULBUTER AVEC FRACAS DANS LE RAVIN QUI BORDE LA ROUTE!...

...TANDIS QUE PAR LE COCKPIT ENTROUVERT NOTRE MALHEUREUX AMI EST LANCÉ DANS LE VIDE!...

Par Zeus! Quelle chute!!!

Il doit être en bouillie!...

43

PENDANT QU'IL TOMBE, BLAKE, PAR RÉFLEXE, MET EN MARCHE SON PLANOS...

...ET AUSSITÔT COMME SI UNE MAIN PUISSANTE L'AVAIT EMPOIGNÉ, IL SE RETROUVE PLANANT A 30 PIEDS AU-DESSUS D'UN TORRENT AUX EAUX RAPIDES OÙ LE CHAR VA S'ÉCRASER DANS UN FRACAS DE TONNERRE !

Il était temps !

PROMENANT SON REGARD AUTOUR DE LUI, LE CAPITAINE RECONNAÎT AVEC SURPRISE L'ENDROIT OÙ QUELQUES HEURES PLUS TÔT, LUI ET SES COMPAGNONS AVAIENT REJOINT LA GRANDE CHAUSSÉE...

By Jove ! C'est le torrent qui va se jeter dans la mer intérieure dont parlait Icare. Je n'ai qu'à suivre le courant !...

ET, SANS HÉSITER, IL S'ÉLANCE DANS LA DIRECTION DE LA SEULE VOIE QUI LUI RESTE OUVERTE POUR GAGNER POSÉIDOPOLIS...

PENDANT CE TEMPS, EN PAYS BARBARE, ICARE ET MORTIMER SE SONT DE LEUR CÔTÉ MIS EN MARCHE POUR REJOINDRE LA GRANDE PORTE, PAR UN ITINÉRAIRE CONNU D'ICARE SEUL. CELUI-CI, AVANT DE QUITTER LA GORGE ÉBOULÉE, ET AFIN D'ÉGARER LES RECHERCHES, S'EST DÉBARRASSÉ DE SON PLANOS DÉSORMAIS INUTILE.

Nous allons avoir à traverser une jungle extrêmement dangereuse.

Pourquoi ? Des animaux féroces ?...

ET COMME A' CE MOMENT, ILS DÉBOUCHENT SUR UN VASTE ESPACE MARÉCAGEUX, LE PRINCE RÉPOND :

Pire que cela ! Voyez !

Bon sang ! Est-ce possible !? Une forêt paléozoïque !...

EN EFFET, DEVANT EUX S'ÉTEND UNE FANTASTIQUE FORÊT, FORMÉE DE PLANTES ÉNORMES A L'ASPECT SINGULIER ET QUI SEMBLENT ANIMÉES D'UNE VIE ÉTRANGE...

Allons, en route !

Attention ! Ne quittez pas le sentier ! Ces plantes sont presque toutes carnivores et toujours prêtes à saisir une proie !

Entendu !

ET PRUDEMMENT, ICARE S'ENGAGE SUR UNE SORTE DE PISTE GLISSANTE QUI SERPENTE A TRAVERS CETTE INQUIÉTANTE FUTAIE OÙ GLISSENT, RAMPENT ET VOLENT DE MONSTRUEUX INSECTES...

ILS MARCHENT AINSI DEPUIS UN BON MOMENT, LORSQUE MORTIMER, EXCÉDÉ PAR LE HARCÈLEMENT INCESSANT DES MOUSTIQUES GÉANTS, DANS UN GESTE POUR LES CHASSER, LAISSE ÉCHAPPER SON DÉSINTÉGRATEUR...

?

Damned ! Les maudites bêtes !

...QUI S'EN VA ROULER AU MILIEU D'UN FOUILLIS DE PLANTES. SANS RÉFLÉCHIR, IL S'ÉLANCE POUR LE RAMASSER...

Arrêtez, malheureux !

TROP TARD ! RAPIDE COMME L'ÉCLAIR, UN LONG ET FLEXIBLE TENTACULE S'EST ABATTU SUR MORTIMER.

?

...ET L'ENLÈVE COMME UNE PLUME !

A' MOI !!!

L'INFORTUNÉ MORTIMER VIENT D'ÊTRE ENLEVÉ PAR UN DROSERA GÉANT DONT LES TENTACULES GLUANTS L'ENSERRENT ÉTROITEMENT...

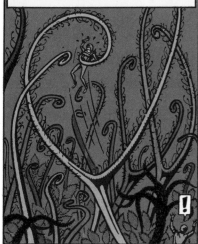

...ET DÉJÀ LES LONGUES FEUILLES S'ENROULENT AUTOUR DE LEUR PROIE, MAIS ICARE, SANS PERDRE UNE SECONDE, DÉCHARGE SON ARME SUR LA PLANTE CARNIVORE...

...DONT L'ÉTREINTE SE RELÂCHE INSTANTANÉMENT, ET MORTIMER GLISSE LE LONG DU LIMBE; MAIS DÉJÀ UN DROSERA VOISIN L'A AGRIPPÉ PAR SON PLANOS ET L'ATTIRE À LUI...

ICARE, À LA VUE DE CE NOUVEAU DANGER, CRIE...

Vite! Abandonnez votre planos !!!

EN UN SUPRÊME EFFORT, LE PROFESSEUR DÉCLENCHE LE MÉCANISME D'OUVERTURE...

...ET TOMBE LOURDEMENT SUR LE SOL...

MAIS LE CHOC EST SI RUDE QU'IL DEMEURE ÉTENDU. COMME DES BRAS MENAÇANTS PLONGENT VERS SON COMPAGNON, LE PRINCE INSTINCTIVEMENT S'ÉLANCE...

Professeur !!!...

...MAIS NE VOIT PAS, ÉTALÉE PAR TERRE, UNE ÉNORME DIONAEA OUVERTE SOUS SES PAS !

IL N'Y A PAS SITÔT POSÉ LE PIED, QU'EN UN CLIN D'OEIL CELLE-CI SE REFERME, RENVERSANT LE MALHEUREUX...

...QUI, MALGRÉ SES EFFORTS DÉSESPÉRÉS, ET À DEMI ÉTOUFFÉ, NE PARVIENT PAS À S'ARRACHER DU PIÈGE DIABOLIQUE !

À moi, Mortimer ! À moi !!!

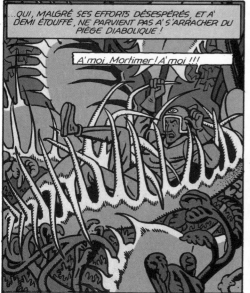

À SES CRIS, LE PROFESSEUR, ENCORE TOUT ÉTOURDI, SE REDRESSE PÉNIBLEMENT...

Quoi ! Qu'est-ce qui ?...

MAIS RÉALISANT AUSSITÔT DANS QUEL PÉRIL TERRIFIANT EST ICARE, IL BONDIT SUR SES PIEDS ET SE PRÉCIPITE VERS LA PLANTE MEURTRIÈRE...

Seigneur !... Je n'ai plus mon pistolet !...

SANS SE SOUCIER DU DANGER AUQUEL IL S'EXPOSE, MORTIMER, DE TOUTES SES FORCES, ESSAIE DE DESSERRER L'ÉTAU, MAIS, AU CONTRAIRE, CELUI-CI SE FAIT ENCORE PLUS ÉTROIT.

Impossible !!... Il faudrait une hache !...

43

AFFOLÉ, MORTIMER JETTE AUTOUR DE LUI UN REGARD ÉPERDU, MAIS AVISANT SOUDAIN UNE LARGE PIERRE PLATE FICHÉE DANS LE TALUS DU SENTIER...

Ah ! Voilà !

...IL S'EN EMPARE ET, AVEC L'ÉNERGIE DU DÉSESPOIR, ATTAQUE À GRANDS COUPS LE PÉTIOLE DE LA PLANTE, LE TAILLADANT SI BIEN QU'IL FINIT PAR LE TRANCHER...

Ça y est !!!

ET TANDIS QU'UNE SUBSTANCE VISQUEUSE S'ÉCHAPPE DE LA COUPURE, LES LOBES MEURTRIERS S'ÉCARTENT, LIBÉRANT LE PRISONNIER

Dieu soit loué ! Vivant !!!...

Je suis brisé !!...

ET MORTIMER SE HÂTE DE TRAÎNER SON COMPAGNON SUR LE SENTIER, PRÉCAIRE REFUGE DANS CETTE JUNGLE CARNIVORE...

Quel cauchemar !!

MAIS BIENTÔT REMIS DE LEURS ÉMOTIONS, LES DEUX AMIS SE CONCERTENT...

Que faire ?... Plus d'armes et plus de planos ! Inutile dans ces conditions de gagner le canon... Nous ne pourrions le traverser !

C'est juste ! Tâchons plutôt d'atteindre la "Grosse tête". Là nous aviserons selon les circonstances...

EN ROUTE À TRAVERS LE MORTEL LABYRINTHE, LES DEUX HOMMES MARCHENT DEPUIS QUELQUE TEMPS, QUAND, ALORS QU'ILS LONGENT UN VASTE MARÉCAGE, LEUR PARVIENT SUBITEMENT UNE PLAINTE ÉTRANGE.

Avez-vous entendu ?!...

Cela semble venir de notre droite !

S'AVANÇANT PRUDEMMENT À TRAVERS LA VÉGÉTATION QUI BORDE LE SENTIER, ILS SE PENCHENT SUR LE MARAIS ET APERÇOIVENT UN BARBARE EN TRAIN DE LUTTER CONTRE L'ENLISEMENT...

Heavens !...

Un barbare ?.. Ici ?!...

SITÔT QU'IL A APERÇU NOS AMIS, LE MALHEUREUX SE MET À LES IMPLORER...

Pitié, seigneurs !... Venez à mon secours !... et je jure par Hunab Ku, je serai à jamais votre fidèle esclave !!!...

EN UN INSTANT ICARE A DÉTACHÉ SA CEINTURE ET, AIDÉ PAR MORTIMER...

Il a juré... et puis, on ne peut le laisser périr ainsi...

Oui, tirons-le de là !

...IL LA LANCE AU PAUVRE DIABLE QUI S'Y AGRIPPE...

Attrape !...

CELUI-CI EST AUSSITÔT HÂLÉ HORS DE LA BOUE...

Tiens bon !...

ET L'INSTANT D'APRÈS, IL VIENT S'AFFALER, ÉPUISÉ, SUR LA TERRE FERME...

Qui es-tu ? Et que faisais-tu dans ce lieu si redouté des tiens ?...

Je vais te le dire, seigneur !

Mon nom est Kisin et je faisais partie de la troupe lancée à votre recherche sous les ordres du chef terrien. Arrivés devant la "Forêt Interdite" les hommes refusèrent d'y pénétrer, invoquant l'ordre des dieux. Mais le terrien entra dans une fureur terrible et sous la menace des pires supplices ordonna à mon frère, à moi et à deux autres guerriers d'explorer ce lieu maudit. Deux de nos compagnons furent broyés par l'Arbre-Serpent... et c'est en essayant de sauver mon malheureux frère de l'enlisement que je suis tombé à mon tour dans le marécage... Oh ! maudit soit l'étranger et bénie sera l'heure de la vengeance !!...

Eh bien, cette heure est proche, pourvu que tu m'obéisses ! Écoute, voici ce qu'il faut faire...

44

PENDANT QUE MORTIMER ET ICARE VIVENT LEURS DANGEREUSES AVENTURES, BLAKE A POURSUIVI SON VOL EN DIRECTION DE LA MER INTÉRIEURE ...

TOUT À COUP, AU DÉTOUR D'UNE FALAISE, IL APERÇOIT GROUPÉES SUR LE RIVAGE, LES CONSTRUCTIONS BASSES D'UN POSTE DE SURVEILLANCE DONT LE PHARE LANCE PAR INTERMITTENCE, L'ÉCLAIR DE SON FEU ROUGE ...

Tout paraît tranquille ...

AYANT MIS PIED À TERRE PAR PRUDENCE, BLAKE, SE GLISSANT DE ROCHE EN ROCHE, PARVIENT À PROXIMITÉ DU POSTE ...

Je me demande si ce poste est déjà passé aux rebelles ?...

TOUS LES SENS EN ÉVEIL, IL SE FAUFILE LE LONG D'UN BÂTIMENT MAIS À PART LE RONRONNEMENT MONOTONE DES RADARS, TOUT EST SILENCIEUX ...

Voyons un peu ce qu'il y a là-dedans ?...

S'ÉTANT HISSÉ JUSQU'À UNE FENÊTRE, IL APERÇOIT À TRAVERS LA VITRE EN PLASTIQUE, UNE PIÈCE BOURRÉE DE VIVRES ...

Hé ! Hé ! Voilà qui tombe bien ! J'ai une faim de loup !...

ET, AVISANT À QUELQUES MÈTRES DE LÀ UN VASISTAS ENTROUVERT, IL A TÔT FAIT DE SE GLISSER À L'INTÉRIEUR DU BÂTIMENT ...

Et voilà !...

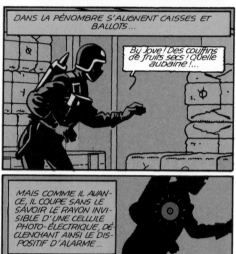

DANS LA PÉNOMBRE S'ALIGNENT CAISSES ET BALLOTS ...

By Jove ! Des couffins de fruits secs ! Quelle aubaine !...

MAIS COMME IL AVANCE, IL COUPE SANS LE SAVOIR LE RAYON INVISIBLE D'UNE CELLULE PHOTO-ÉLECTRIQUE, DÉCLENCHANT AINSI LE DISPOSITIF D'ALARME ...

AUSSITÔT, LA LUMIÈRE JAILLIT, ÉBLOUISSANTE ...

DRRRRRRING

Damned !!!...

...CEPENDANT QU'UNE SONNERIE ASSOURDISSANTE ALERTE LA CHAMBRE DE VEILLE OÙ SE TIENT LE GARDIEN DU POSTE...

DRRRRRRRING

CELUI-CI SE PRÉCIPITE AU TABLEAU D'APPEL ...

C'est le bloc III !

...PUIS, SANS PERDRE UN INSTANT S'ÉLANCE AU-DEHORS !

Et les autres qui ne reviennent pas !...

UN INSTANT PLUS TARD, IL FAIT IRRUPTION, L'ARME AU POING, DANS LE DÉPÔT ...

Qui va là ?!...

...MAIS CELUI-CI EST DÉSERT...

Personne !?! Hé ! Mais cette porte ouverte ... Voyons un peu le hangar aux canots !...

EN QUELQUES ENJAMBÉES IL SE TROUVE DANS L'AUTRE PIÈCE ET S'ARRÊTE INTERDIT ...

Vide !... Ah! ça, s'agirait-il d'un court-circuit ou...

MAIS VOICI QUE SOUDAIN UNE VOIX DURE LUI ORDONNE ...

Jette ton arme !!!

45

LE GARDIEN S'EXÉCUTE ET BLAKE, QUI AVAIT RECONNU AU BRASSARD QU'IL PORTE QU'IL S'AGISSAIT D'UN HOMME DE MAGON, POURSUIT...

Allons, descends dans ce canot... et pas de bêtises!...

COMPRENANT L'INUTILITÉ DE TOUTE RÉSISTANCE, L'HOMME EMBARQUE, IMMÉDIATEMENT SUIVI DU CAPITAINE.

Mets-toi aux commandes!...

Et maintenant, droit sur Poseïdopolis!...

LE MOTEUR MIS EN MARCHE, LE CANOT GLISSE LE LONG DU QUAI, SORT DE SON HANGAR ET, ACCÉLÉRANT SA VITESSE...

...S'ÉLANCE VERS LE LARGE OÙ ROULE UNE PORTE HAUTE ANNONCIATRICE DE MAUVAIS TEMPS...

CELUI-CI NE SE FAIT GUÈRE ATTENDRE! LES NUÉES QUI FLOTTAIENT DANS L'ESPACE DEVIENNENT SUBITEMENT D'UN NOIR D'ENCRE, TANDIS QU'UN GRONDEMENT SOURD S'ÉLÈVE AU FOND DE LA MER...

JUSTE À CE MOMENT, LE GARDIEN POUSSE UN CRI DE JOIE, CAR, À MOINS D'UN MILLE VIENT DE SURGIR L'ÉTRANGE SILHOUETTE D'UN BATEAU PATROUILLEUR...

LE CAPITAINE DE CELUI-CI AVISANT LE CANOT S'ÉTONNE...

Tiens, Hadad!... Il a quitté son poste?... Je me demande pourquoi?...

Avec la tempête qui se prépare, il est fou?...

INTRIGUÉ, LE CAPITAINE LANCE UN APPEL PAR RADIO À L'ADRESSE DU GARDIEN...

Allo! Hadad!... Que se passe-t-il? Où vas-tu?!... Hadad!... HADAD!

MAIS HADAD QUI SAIT L'ARME TOUJOURS POINTÉE SUR LUI, SE GARDE BIEN DE RÉPONDRE...

HADAD!... ES-TU SOURD?!...

Plus vite!!...

Ah?.. Ceci n'est pas normal! Nous allons le prendre en chasse... En avant toute!!...

En avant toute!!...

ET LE PATROUILLEUR FORÇANT SA VITESSE, SE RUE À TRAVERS LES VAGUES DÉCHAÎNÉES...

Plus vite!!! N'essaie pas de ralentir!... S'ils nous rattrapent, la première décharge sera pour toi!!...

AVISANT UNE BOUÉE, IL DIRIGE SON EMBARCATION DROIT DESSUS, PUIS SOUDAIN, TROMPANT LA VIGILANCE DE BLAKE, IL SAUTE DANS LES EAUX EN FURIE!...

LE CAPITAINE, SURPRIS, N'A QUE LE TEMPS DE BONDIR AU VOLANT ET DE FAIRE DÉVIER LE CANOT QUI RASE LA BOUÉE ET REPREND SA COURSE FURIBONDE...

EN VOYANT LES POURSUIVANTS GAGNER RAPIDEMENT SUR LE CANOT, LE GARDIEN A L'IDÉE D'UNE MANŒUVRE DÉSESPÉRÉE...

Plus vite!!!!

NAGEANT AVEC L'ÉNERGIE DU DÉSESPOIR, HADAD A RÉUSSI À S'ACCROCHER À LA BOUÉE, CEPENDANT QUE LE BATEAU PATROUILLEUR STOPPE POUR LE RECUEILLIR.

Ho ! Tiens bon !...

À PEINE RAMENÉ À BORD, L'HOMME MET LE CAPITAINE AU COURANT DES ÉVÉNEMENTS QU'IL VIENT DE VIVRE...

C'est alors que je lançai le canot sur la bouée pour l'y fracasser... Mais le coquin a déjoué la manœuvre...

Pas de doute, c'est bien là le terrien que nous cherchons vainement depuis des heures... À toute vitesse à sa poursuite !...

ET LE BÂTIMENT REPREND SA COURSE DE TOUTE LA PUISSANCE DE SES MACHINES, GAGNANT RAPIDEMENT SUR LE FUYARD. MAIS LA TEMPÊTE EST MAINTENANT DANS TOUTE SA FUREUR, LES GRONDEMENTS SE SUCCÈDENT SANS INTERRUPTION ET L'OBSCURITÉ QUI S'ÉPAISSIT ENCORE EST ZÉBRÉE D'ÉCLAIRS FULGURANTS...

Par l'enfer ! Il va nous échapper !... Tant pis, coulons-le !...

ET LE PATROUILLEUR MET SON DÉSINTÉGRATEUR EN ACTION, SOULEVANT D'IMMENSES GERBES DE VAPEURS BRÛLANTES...

...MAIS LES ÉNORMES VAGUES FAUSSENT SON TIR, MALGRÉ LES EFFORTS DES POINTEURS...

Il faut en finir ! Envoyez une ...

MAIS LE GARDIEN POUSSE SOUDAIN UN CRI D'EFFROI...

Grand Zeus ! Voyez !!!...

BRUSQUEMENT, D'UN NUAGE BAS, VIENT DE SURGIR UNE PROTUBÉRANCE CONIQUE QUI DESCEND EN TOURBILLONNANT VERS LA MER TANDIS QUE DE CELLE-CI, UNE MASSE D'EAU BOUILLONNANTE S'ÉLÈVE AVEC RAPIDITÉ À SA RENCONTRE...

Gare ! Une trombe en formation !!!

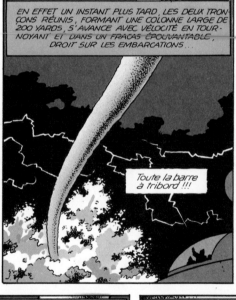

EN EFFET UN INSTANT PLUS TARD, LES DEUX TRONÇONS RÉUNIS, FORMANT UNE COLONNE LARGE DE 200 YARDS, S'AVANCE AVEC VÉLOCITÉ EN TOURNOYANT ET DANS UN FRACAS ÉPOUVANTABLE, DROIT SUR LES EMBARCATIONS...

Toute la barre à tribord !!!

DE SON CÔTÉ, BLAKE, À LA VUE DE CE NOUVEL ADVERSAIRE, TENTE DE CHANGER DE CAP

Grand Dieu !...

TROP TARD ! À PLUS DE 500 MILLES À L'HEURE, L'ÉNORME MÉTÉORE VIENT PERCUTER EN PLEIN SUR LE PATROUILLEUR QUI EST PROJETÉ EN L'AIR ET RETOMBE FRACASSÉ AU LOIN !!...

...QUANT AU CANOT, PLUS MOBILE, S'IL PARVIENT À ÉVITER DE JUSTESSE LA COLONNE ELLE-MÊME, IL NE PEUT ÉVITER LE TOURBILLON D'AIR QUI L'ACCOMPAGNE, ET BLAKE, COMME ASPIRÉ, EST ARRACHÉ DE SON SIÈGE ET LANCÉ AU CENTRE MÊME DE LA TROMBE...

L'ESPACE D'UN MOMENT, IL SE VOIT DANS UNE SORTE D'ÉNORME CYLINDRE CREUX ÉCLATANT DE LUMIÈRE, TANDIS QU'UN RUGISSEMENT INDESCRIPTIBLE LUI VRILLE LE TYMPAN, PUIS IL SOMBRE DANS LE NÉANT...

47

PENDANT CE TEMPS, À ITZAMAL, LA VILLE BARBARE, KISIN, LE GUERRIER SAUVÉ PAR ICARE ET MORTIMER, ACHÈVE DE FAIRE AU ROI TLALAC ET À OLRIK LE RAPPORT, SOI-DISANT EXACT DE SA MISSION DANS LA FORÊT...

...Ainsi, tu es bien sûr de ce que tu affirmes ?...

Absolument, ô grand roi ! c'est ainsi que j'ai vu périr les deux terriens, dévorés par les arbres-serpents !... Et ce casque est le seul objet que j'ai pu rapporter...

Eh bien, voilà une excellente nouvelle, ô roi ! Et ceci est de bon augure pour notre entreprise !... Je propose que tu donnes à ce brave une récompense digne de son courage...

Tu as raison ! Qu'il prenne le commandement de ma garde personnelle !...

Grâce te soit rendue, ô grand roi !...

Et maintenant, amis, l'heure est venue ! Allons assister à la danse sacrée qui doit préluder à notre triomphe sur les Atlantes abhorrés !...

LORSQUE TLALAC, SUIVI D'OLRIK, PARAÎT À LA TERRASSE DU PALAIS, UNE IMMENSE ACCLAMATION MONTE DE LA MULTITUDE...

Gloire à toi !

Gloire à toi !

Gloire à toi !

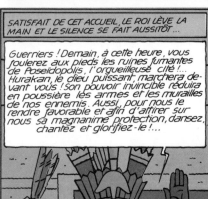

SATISFAIT DE CET ACCUEIL, LE ROI LÈVE LA MAIN ET LE SILENCE SE FAIT AUSSITÔT...

Guerriers ! Demain, à cette heure, vous foulerez aux pieds les ruines fumantes de Poséidopolis, l'orgueilleuse cité !... Hurakan, le dieu puissant, marchera devant vous ! Son pouvoir invincible réduira en poussière les armes et les murailles de nos ennemis. Aussi, pour nous le rendre favorable et afin d'attirer sur nous sa magnanime protection, dansez, chantez et glorifiez-le !...

AUSSITÔT, LES GRANDS TAMBOURS DE GUERRE SE METTENT À BATTRE SUR UN RYTHME OBSÉDANT, TANDIS QUE QUATRE SORCIERS, PORTEURS DE MASQUES EFFRAYANTS, SURGISSENT SUR LE PARVIS DU TEMPLE...

...ENTONNANT UNE ÉTRANGE MÉLOPÉE, ILS S'APPROCHENT DU FEU QUI BRÛLE AU PIED DE LA STATUE D'HURAKAN ET, AYANT IMPOSÉ LES MAINS, LA FLAMME JAILLIT SOUDAIN HAUTE ET CLAIRE...

...PUIS, TOUT EN LANÇANT VERS LA DIVINITÉ DE RAUQUES INCANTATIONS, ILS ENTAMENT UNE DANSE MAGIQUE, DONT ILS ACCÉLÈRENT INSENSIBLEMENT LA CADENCE...

FASCINÉS PAR CET ÉTRANGE SPECTACLE, LES GUERRIERS, LES UNS APRÈS LES AUTRES, SE JOIGNENT AUX MASQUES, ET BIENTÔT LE PEUPLE TOUT ENTIER, PRIS DE VERTIGE, ENTRE À SON TOUR DANS LA RONDE SCANDÉE PAR LE ROULEMENT FURIEUX DES TAMBOURS...

MAIS TANDIS QUE LA FOLIE COLLECTIVE ATTEINT SON PAROXYSME, NUL NE REMARQUE LE NOUVEAU CHEF DE GARDE QUI S'ÉCLIPSE DISCRÈTEMENT...

SE GLISSANT RAPIDEMENT À TRAVERS LES TERRASSES ET LES COURS DÉSER- TES DU PALAIS, KISIN ATTEINT BIENTÔT LE MUR D'ENCEINTE DE LA CITÉ ET, SE PENCHANT SUR LE FOSSÉ, LANCE UN APPEL SINGULIER...

Houyouhou !...

AUQUEL RÉPOND AUSSITÔT LA VOIX D'ICARE. RETIRANT ALORS DE DESSOUS UNE ROCHE UNE LONGUE CORDE À NOEUDS, LE GUERRIER LA LANCE DANS LE VIDE, DES MAINS VI- GOUREUSES S'EN SAISISSENT ET...

... UN MOMENT PLUS TARD, LE PRINCE ET MORTIMER ENJAMBENT LE PARAPET...

Tout va bien, seigneurs ! J'ai reçu le commandement de la garde et je connais le moyen de vous faire regagner l'Atlantide. Vite, suivez-moi jusqu'au temple ! La fête bat son plein et il faut y être avant le retour des sorciers...

Nous te suivons...

PEU APRÈS, PROFITANT DE L'INAT- TENTION GÉNÉRALE, LES TROIS HOMMES ATTEIGNENT SANS ENCOMBRE UNE PORTE DÉROBÉE ET SE GLISSENT À L'INTÉRIEUR DU TEMPLE D'HURAKAN

Les cellules se trouvent au fond de la galerie... Venez !...

À CE MÊME MOMENT, À 100 MILLES DE LA VILLE D'ITZAMAL, SUR UNE PLAGE DÉSOLÉE, BLAKE, QUE LA TROMBE A REJETÉ BIEN LOIN DU LIEU DE LA CATASTROPHE, ET QUI NE DOIT SON SALUT QU'À L'ÉTANCHÉITÉ DE SON ÉQUIPEMENT, REPREND PÉNIBLEMENT SES SENS...

Heavens !... Je reviens de loin... mais dans quelle direc- tion aller maintenant ?...

LE CAPITAINE SE REDRESSE EN CHANCELANT ET BUTANT À CHAQUE PAS, IL SE TRAÎNE VERS UNE ARÊTE ROCHEUSE...

De là, peut-être pourrai- je m'orienter...

MAIS À PEINE A-T-IL JETÉ UN REGARD SUR L'HORIZON QU'IL POUSSE UN CRI DE STUPEUR...

Damned !... Deviendrais-je fou !? Ce phare... ces bâtiments... Est-ce possible !!

LE SITE QU'IL APERÇOIT AU LOIN N'EST AUTRE QUE LE PETIT POSTE CÔTIER QU'IL A QUITTÉ DEUX HEURES PLUS TÔT ! EN EFFET, LA TEMPÊTE AU LIEU DE L'EMPOR- TER VERS LA CAPITALE, L'A RAMENÉ À SON POINT DE DÉPART !

Malheur ! Il faut fuir cet endroit au plus vite !...

TROP TARD ! DANS SON TROUBLE, BLAKE N'A PAS REMAR- QUÉ UN SPHÉROS DE LA MARINE QUI S'EST IMMOBILI- SÉ DANS L'AIR ET DONT LES OCCUPANTS L'OBSER- VENT AVEC ATTENTION...

Par Zeus ! C'est notre homme !

Allez-y !...

UN INSTANT PLUS TARD, ET AVANT QUE BLAKE AIT PU RÉALISER CE QUI SE PASSAIT, LE SPHÉROS LUI BAR- RE LE CHEMIN TANDIS QUE TROIS GARDES AU BRAS- SARD ROUGE LE MAÎTRISENT...

Tu es pris, terrien !...

... ET LE JETTENT DANS L'APPAREIL....

Mission terminée ! En route et qu'il ne lui arrive aucun mal. Magon le veut vivant !

Bien, Archon...

LE TEMPS A PASSÉ... L'HEURE DE LA GRANDE INVASION BAR- BARE A SONNÉ. PRÉCÉDÉE DE SES SORCIERS, L'IMMENSE ARMÉE S'EST MISE EN MARCHE ET VOICI L'AVANT-GARDE, CON- DUITE PAR OURIK, QUI FRANCHIT L'ABIME SUR UN PONT DE FORTUNE, TANDIS QUE LE GROS DES TROUPES, MASSÉ DEVANT LA "GRANDE PORTE", ATTEND LE MOMENT DE FOULER À SON TOUR LE SOL, INVIOLÉ DEPUIS TANT DE SIÈCLES, DE L'ATLANTIDE !!!

49

CE PREMIER OBSTA-CLE PASSÉ, L'ARMÉE S'ENGAGE DANS LE "DÉFILÉ DE LA FLÈCHE." AU PREMIER RANG MARCHE LE FIDÈLE KISIN, NOUVEAU COM-MANDANT DE LA GARDE. CEPENDANT QUE DU HAUT DE SON PALAN-QUIN, OLRIK SUIT DU REGARD LES QUATRE SORCIERS QUI, PAR LEURS GESTES INCAN-TATOIRES, ÉCARTENT DE LA ROUTE DES GUERRIERS LES GÉNIES MALFAISANTS...

NUL NE SE DOUTE QUE DEUX DES SORCIERS NE SONT AUTRES QUE MORTIMER ET LE PRINCE...

Alors ? Devrons-nous encore longtemps ces pitreries ?...

Patience ! Nous tenterons de nous éclipser à la "Tour du gong"...

... CAR CE SONT EUX EN EFFET QUI, AVEC L'AIDE DE KISIN ONT RÉUSSI À SURPRENDRE DANS LEURS CELLULES LES VRAIS SORCIERS ET À SE SUBSTITUER À EUX !... LA TOUR EST BIENTÔT EN VUE ET ICARE AYANT ADRES-SÉ UN LÉGER SIGNE, CELUI-CI FAIT AUSSITÔT ARRÊTER SA TROUPE, LAISSANT LES SORCIERS POURSUIVRE SEULS VERS LE PONT QUI MÈNE À LA FORTE-RESSE ET OÙ VEILLENT DEUX PHULOS...

Eh bien ! Que se passe-t-il ?!...

Nos sorciers vont purifier ces lieux avant d'y engager nos hommes, seigneur !...

Voyez-vous ces sphéros dans la cour ?...

Zeus est avec nous ! Attention ! Faites exactement comme moi !...

ICARE, IMITÉ PAR MORTIMER, S'AVANCE AVEC FORCE GESTES VERS LES GARDES ÉTONNÉS ET PUIS...

...REJETANT SUBITEMENT LEURS MASQUES ENCOMBRANTS, LES DEUX HOMMES FONCENT VERS L'ENTRÉE...

En avant !!!...

HÉLAS ! MORTIMER N'A PAS FAIT DIX MÈ-TRES QUE, S'EMBARRASSANT DANS SON LONG MANTEAU, IL S'ÉTALE BRUTALEMENT...

OLRIK À CETTE VUE POUSSE UN VÉRITABLE RUGISSEMENT !

Mortimer et le prince !? Par l'enfer !... Tirez !... Mais tirez donc, imbéciles !!!...

MAIS VOYANT LE DANGER, DÉJÀ KISIN S'EST ÉLANCÉ, ET AVANT QUE LES PHULOS SURPRIS AIENT EU LE TEMPS DE SAISIR LEURS ARMES, DE DEUX COUPS DE SA TERRIBLE MASSE IL LES A ÉTENDUS PAR TERRE !!!

PUIS, VOULANT COUVRIR LA FUITE DE SES AMIS, IL FAIT FRONT À OLRIK QUI, IVRE DE FUREUR, SE RUE SUR LUI SUIVI DE SON ESCORTE MAIS LA LUTTE EST PAR TROP INÉGALE ET BIENTÔT...

Ah !...

Traître !

SON SACRIFICE POURTANT N'A PAS ÉTÉ INUTILE CAR, PROFITANT DE CE BREF RÉPIT, ICARE A RÉUSSI À ENTRAÎNER MORTIMER, ENCORE ÉTOURDI, DANS LA COUR. HÉLAS ! COMME ILS VONT ATTEINDRE LE SPHÉROS, DEUX AUTRES GARDES SURGISSENT DEVANT EUX...

Halte !

Trop tard ! Vite, à la tour !!!...

ESCALADANT FRÉNÉTIQUEMENT ESCALIERS ET ÉBOULIS, ILS MON-TENT, HALETANTS, VERS LA "CHAM-BRE DU GOUVERNEUR" OÙ SONT CA-CHÉES LES ARMES DESTINÉES À LA RÉVOLTE...

Vite ! Si nous atteignons la réserve d'armes, nous sommes sauvés !...

MAIS AU MOMENT OÙ LES DEUX HOMMES DÉBOUCHENT DANS LA CHAMBRE DU GOUVERNEUR, ILS TOMBENT SUR UN GARDE QUI LES ATTEND LE PISTOLET AU POING...

Ah! Ah! Vous voilà mes maîtres!!!

MAIS LE REBELLE N'A PAS LE TEMPS D'EN DIRE DAVANTAGE, CAR SOUDAIN UN HOMME S'ABAT LOURDEMENT SUR LUI, DU HAUT DE L'ESCALIER!...

HOW!

...ET EN CE SAUVEUR INATTENDU, ICARE ET MORTIMER, STUPÉFAITS, RECONNAISSENT LEUR AMI...

Blake!!!

Vous! Vous ici! Comment!?!

Plus tard!... Sachez seulement que j'étais emprisonné là-haut dans la chambre de guet, et j'ai profité de ce que ce gaillard s'occupait de vous, pour m'occuper de lui!...

MAIS LES CRIS FURIEUX DES ASSAILLANTS S'ÉLÈVENT DE L'ÉTAGE INFÉRIEUR...

Bien travaillé, capitaine!... Mais les voilà! Vite, sortons les armes de leur cachette!...

Trop tard!... Les phulos les ont emportées!...

Malheur!... Tout est fini, alors! Notre mission est un échec, les nôtres ne seront pas alertés, l'Atlantide est perdue!!!...

MAIS MORTIMER S'ÉCRIE...

Non! Il nous reste une ressource!... Le "Gong Sacré"!...

Le gong!?! Par Zeus!... Je l'oubliais!...

Bravo, mon vieux! Allez-y, tandis que nous arrêterons ici leur assaut!

Comptez sur moi! Nous allons savoir si la légende dit vrai!

Allez! Et frappez fort!...

ET ALORS QUE SES COMPAGNONS CONTIENNENT L'ENNEMI, MORTIMER S'ÉLANCE... MAIS PARVENU À LA TERRASSE DE GUET, IL SE TROUVE SOUDAINEMENT NEZ À NEZ AVEC OLRIK, QUI, RUSÉ COMME TOUJOURS, MÈNE L'ASSAUT PAR L'EXTÉRIEUR...

Hell!!?!

Ah! Cette fois je te tiens!...

MAIS MORTIMER S'ÉTANT INSTANTANÉMENT RESSAISI, ASSÈNE À SON ADVERSAIRE UN FORMIDABLE CROCHET À LA MÂCHOIRE...

Pas encore!...

Humpf!...

PUIS, LUI AYANT ARRACHÉ SA MASSUE, IL REFOULE FURIEUSEMENT LES BARBARES JUSQU'AU PARAPET... LES PRÉCIPITE DANS LE VIDE...

...ET D'UNE POUSSÉE CULBUTE LEUR ÉCHELLE!...

PUIS SANS PERDRE UNE SECONDE, IL SE RUE DANS L'ESCALIER...

...ARRIVÉ HALETANT AU PIED DE L'ÉNORME GONG, IL LÈVE SA MASSUE, ET DE TOUTES SES FORCES, S'APPRÊTE À FRAPPER, MAIS...

MORTIMER N'A PAS LE TEMPS D'ACHEVER SON GESTE, CAR UN JAVELOT, LANCÉ PAR OLRIK, VIENT EN SIFFLANT LUI ARRACHER SA MASSE !...

EN EFFET, LE RENÉGAT, BIEN QU'ENCORE ÉTOURDI, A DEVINÉ L'INTENTION DU PROFESSEUR ET S'EST PRÉCIPITÉ A' SA SUITE. VOYANT SON BUT MANQUÉ, IL SE RUE, L'ARME HAUTE, SUR SON AMI DÉSARMÉ ...

Malheur à toi !...

MAIS CELUI-CI, SANS PERDRE SON SANG-FROID, ÉVITANT LE COUP, SE JETTE SUR SON ENNEMI ET L'EMPOIGNE SOLIDEMENT...

...PUIS, AVEC UNE VIGUEUR IRRÉSISTIBLE LE SOULÈVE AU-DESSUS DE SA TÊTE ...

MAIS LES CORDES, USÉES PAR LES SIÈCLES, CÈDENT EN MÊME TEMPS ET LE COLOSSAL DISQUE DE BRONZE S'ABAT LOURDEMENT SUR LA PLATE-FORME, OSCILLE UN INSTANT...

DONG

...PUIS, DANS UN VACARME DE TONNERRE QUE L'ÉCHO MULTIPLIE PRODIGIEUSEMENT, ROULE DANS LE VIDE, REBONDISSANT A' CHAQUE ÉTAGE ET PULVÉRISANT TOUT SUR SON PASSAGE, TANDIS QU'UNE PLUIE DE BLOCS ROCHEUX, ÉBRANLÉS PAR LES VIBRATIONS, S'ABAT DU HAUT DES VOÛTES ET VIENT SEMER LA TERREUR PARMI LES BARBARES ...

DONG DONG

...ET LE PRÉCIPITE DE TOUTE SA FORCE SUR LE GONG, QUI SOUS LE HEURT, REND UN GRONDEMENT EXTRAORDINAIRE QUE LES VIEILLES MURAILLES RÉPERCUTENT LONGUEMENT...

DONG

SANS PERDRE UNE SECONDE, MORTIMER, DÉGRINGOLANT DE LA TERRASSE SUPÉRIEURE, REJOINT SES AMIS, DONT TOUS LES ADVERSAIRES GAGNÉS PAR LA PANIQUE ONT, EUX AUSSI, LÂCHÉ PIED...

La route est libre !!... Filons !!!...

Hurrah !...

Au sphéros !...

DE LA CHAMBRE DU GOUVERNEUR, LES TROIS HOMMES ONT EN QUELQUES BONDS, GAGNÉ LA COUR ET, PROFITANT DE L'AFFOLEMENT GÉNÉRAL, S'ÉLANCENT VERS L'ENGIN ABANDONNÉ...

Vite !...

...S'Y ENGOUFFRENT ET, D'UN BOND, PRENNENT LEUR ESSOR, ASSAILLIS PAR UNE NUÉE DE FLÈCHES IMPUISSANTES ET SOUS LES IMPRÉCATIONS DU TRAÎTRE OLRIK ...

Vous me paierez ça !...

PENDANT QUE SE DÉROULENT CES DRAMATIQUES ÉVÉNEMENTS, À POSÉIDOPOLIS OÙ LES PUISSANTES ONDES SONORES DU "GONG SACRÉ" ONT JETÉ L'ALARME, RÈGNENT LA STUPEUR ET LA CONSTERNATION. MAGON, SURPRIS PAR CET ÉVÉNEMENT IMPRÉVU, S'EST PRÉCIPITÉ CHEZ LE BASILEUS POUR TENTER DE MINIMISER LES FAITS...

Pour moi, Majesté, il n'y a aucun doute à avoir, le gong a dû tomber à la suite de l'usure des cordes qui le soutenaient et...

C'est possible !... Mais je n'en ai pas moins appelé Omégara... Je veux savoir !...

UN INSTANT PLUS TARD, PHOKIS, LE COMMANDANT DU POSTE, APPARAÎT SUR L'ÉCRAN...

Eh bien Phokis, que se passe-t-il ?...

Je l'ignore, Majesté, j'étais en train de constituer une patrouille afin d'aller vérifier sur...Ah !... on me signale l'arrivée d'un sphéros venant de cette direction !...

EN EFFET, L'ENGIN À BORD DUQUEL NOS TROIS AMIS ONT RÉUSSI À S'ENFUIR VIENT DE SURGIR EN VUE DU FORT ET...

Alerte ! les barbares attaquent !... nous sommes trahis !!...

Trahis !?...

LE COMMANDANT, BOULEVERSÉ, REPARAÎT SOUDAIN ET REPREND LA PAROLE...

Majesté !... une nouvelle incroyable me parvient à l'instant ! Les Barbares ont franchi la "Grande Porte" !!! Nous sommes trahis par...

MAIS JUSTE À CE MOMENT UN RAI DE FEU, TOMBANT À PROXIMITÉ DES INSTALLATIONS DE TRANSMISSION, MET CELLES-CI HORS D'USAGE...

INSTANTANÉMENT L'ÉCRAN DEVIENT NOIR ET MUET, LAISSANT LES ASSISTANTS ABASOURDIS ET INCRÉDULES...

Phokis est fou ! Je ne puis croire que...

Il suffit !... Rassemble les troupes et que le conseil se réunisse sur l'heure... va !...

CEPENDANT LA SITUATION À OMÉGARA S'EST RAPIDEMENT AGGRAVÉE ET PHOKIS, COMPRENANT QUE LE PARTI LE PLUS SAGE EST DE SE REPLIER IMMÉDIATEMENT SUR LA CAPITALE, DONNE L'ORDRE D'ÉVACUATION.

Allo ! Allo ! que toute la garnison s'embarque immédiatement sur le monorail ! Faites vite !!!!

MALGRÉ LE TIR NOURRI DE LEURS INVISIBLES ADVERSAIRES, LES HOMMES DU POSTE EXÉCUTENT LA MANŒUVRE AVEC DISCIPLINE ET CÉLÉRITÉ...

...ET LE MONORAIL S'ÉBRANLE AU MOMENT PRÉCIS OÙ UN ÉCLAIR VIENT FRAPPER L'ARSENAL QUI SAUTE DANS UN FRACAS ASSOURDISSANT !...

MAIS LA SITUATION N'EN EST PAS MOINS CRITIQUE, CAR NOS AMIS QUI ESCORTENT LE CONVOI À LA VERTICALE, CONSTATENT QUE CE DERNIER PROGRESSE AU MILIEU D'UN CERCLE D'EXPLOSIONS QUI SE DÉPLACENT AVEC LUI, GAGNANT TOUJOURS EN PRÉCISION...

Je doute fort qu'ils puissent leur échapper...ces engins-là ne pardonnent pas...

...Et rien à faire pour les aider !...

CES MOTS SONT À PEINE PRONONCÉS QUE LE MONORAIL, FOUDROYÉ PAR UN COUP AU BUT, EST LITTÉRALEMENT ANNIHILÉ !...

...MALHEUREUSEMENT, LE SPHÉROS, SURPRIS PAR LES ONDES DE CHOC, CULBUTE SUBITEMENT DANS L'AIR ET SE MET À TOMBER MALGRÉ LES EFFORTS DÉSESPÉRÉS D'ICARE, POUR LE REDRESSER...

ACCROCHÉ AUX COMMANDES, LE PRINCE PARVIENT CEPENDANT À FREINER LA CHUTE DU SPHÉROS DÉSEMPARÉ QUI BRUSQUEMENT ENTRE EN CONTACT AVEC UN SOL EN PENTE SUR LEQUEL IL SE MET À ROULER...

...MAIS PAR MIRACLE, IL RESTE ACCROCHÉ PAR L'UNE DE SES BÉQUILLES D'ATTERRISSAGE À UNE ASPÉRITÉ ROCHEUSE, JUSTE AU BORD D'UN PROFOND PRÉCIPICE...

LES PASSAGERS QUI ONT ÉTÉ JETÉS RUDEMENT LES UNS SUR LES AUTRES, S'EXTRAIENT PÉNIBLEMENT DE L'APPAREIL À DEMI DÉTRUIT...

Bon sang! Nous l'avons échappé belle!...

Rien de cassé?...

Non! Ça va!...

Tout cela est fort bien!... Mais nous ne nous rapprochons pas de Poséidopolis!...

C'est juste!... Écoutez. Il nous reste une seule ressource. À quelque distance passe une autre ligne de monorail, peut-être pourrons-nous y trouver un moyen de locomotion...

En route!...

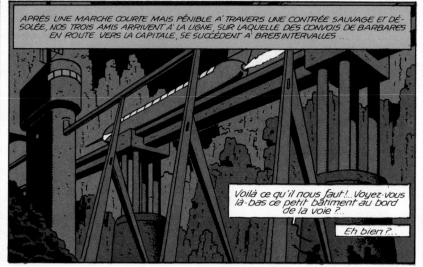

APRÈS UNE MARCHE COURTE MAIS PÉNIBLE À TRAVERS UNE CONTRÉE SAUVAGE ET DÉSOLÉE, NOS TROIS AMIS ARRIVENT À LA LIGNE, SUR LAQUELLE DES CONVOIS DE BARBARES EN ROUTE VERS LA CAPITALE, SE SUCCÈDENT À BREFS INTERVALLES...

Voilà ce qu'il nous faut!... Voyez-vous là-bas ce petit bâtiment au bord de la voie?...

Eh bien?...

C'est l'un des nombreux postes qui jalonnent le parcours et assurent la sécurité du trafic. Outre des verres et des pièces de rechange, on y gare également un "céléros", petit véhicule rapide destiné à l'inspection des voies!... Mais prenons garde qu'il ne soit occupé!...

AVEC MILLE PRÉCAUTIONS, ILS SE GLISSENT JUSQU'À PROXIMITÉ DU DÉPÔT. HEUREUSEMENT CELUI-CI EST DÉSERT...

Attention! Ne nous faisons pas repérer par un convoi!...

PROMPTEMENT, ILS GAGNENT LA PORTE DONT ICARE S'EMPRESSE D'EXAMINER LE MÉCANISME D'OUVERTURE...

S'ils n'ont pas changé la combinaison, nous sommes...

MAIS SOUS LA PRESSION DE SA MAIN, LA PORTE CÈDE SANS DIFFICULTÉ, TANDIS QUE LA LUMIÈRE JAILLIT...

Par Zeus! C'est inespéré, des vêtements! des armes!!

Il s'agit sûrement d'un dépôt clandestin...

Tant mieux!... J'ai hâte d'enlever cette défroque!...

QUELQUES INSTANTS PLUS TARD, NOS TROIS AMIS, COMPLÈTEMENT ÉQUIPÉS ET ARMÉS, SONT PRÊTS À PASSER À L'ACTION...

Ah! Je me sens un autre homme!... Non, l'état de sorcier ne me convient décidément pas!...

Par ici! Vite! Il serait malsain de s'attarder plus longtemps!...

Nous vous suivons!!

LE PRINCE AYANT POUSSÉ UNE PORTE, ILS PÉNÈTRENT DANS UN HANGAR OÙ UN ENGIN AUX FORMES TRAPUES ET PORTANT DEUX PUISSANTS PROJECTEURS ATTEND SUR SON RAIL...

Embarquons!... Il faudra nous glisser entre deux convois, et le dernier vient de passer il y a une seconde...

All right!...

L'INSTANT D'APRÈS, AYANT PRIS PLACE SUR LE "CÉLÉROS" ET S'ÉTANT ASSURÉS QU'AUCUN CONVOI N'ÉTAIT EN VUE, NOS HÉROS S'ÉLANCENT VERS LA VOIE PRINCIPALE AU BOUT DE LAQUELLE ILS TROUVERONT... LA BATAILLE!

TANDIS QUE LES TROIS HOMMES GLISSENT A' TOUTE VITESSE VERS POSÉIDOPOLIS, LA CAPITALE, DÉJA' A' MOITIÉ ENVAHIE, LIVRE UNE LUTTE DÉSESPÉRÉE CONTRE LA MARÉE BARBARE QUI, GRÂCE A' LA TRAHISON DE MAGON ET DE SES COMPLICES, DÉFERLE BALAY-ANT TOUT SUR SON PASSAGE. LES BATTERIES ATLANTES, SABOTÉES, SONT ENLEVÉES LES UNES APRÈS LES AUTRES ET LEURS SERVANTS MASSACRÉS SUR PLACE ...

Sauve qui peut !...

Par Zeus ! Qu'attends-tu ?. Mais tire donc !!!

Impossible !... Le mé-canisme de détente est faussé !!!

Allo ! Allo ! Ici batterie Archias. Les pièces ont été sabotées !...

DEVANT L'AMPLEUR ET LA GRAVITÉ DE LA SITUATION, LE BASILEUS A DONNÉ ORDRE A' TOUS LES SURVIVANTS DE SE RÉFUGIER DANS L'INEX-PUGNABLE CITADELLE QUE CONSTITUE LE PALAIS ROYAL ...

Mais pourquoi ne pas anéantir cette racaille avec notre aviation ?.

Impossible sans toucher les nôtres !!! Les lignes sont enfoncées !...

...CEPENDANT QUE DE LA CHAMBRE DE COMMANDEMENT, OÙ LES NOUVELLES ALAR-MANTES SE SUCCÈDENT, L'ÉTAT MAJOR DÉBOR-DÉ, TENTE EN VAIN D'ENRAYER L'AVANCE ENNEMIE ...

Allo ! Allo ! Ici P.C. du secteur d'Ogy-gie !... La seconde ligne est enfoncée ! Attendons instructions ...

Allo ! Allo !... Ici Kylokastron. Ordre du capitaine Archias de décrocher et de se replier sur le bloc 12 !... Allo ! Allo !...

Allo ! Allo ! J'appelle aéroga-re de Kylos ! Allo ! Allo !...

Allo !... Ordre à la batterie Pirgos de tenir la position coûte que coûte !...

Allo ! Allo ! Ici Kylokastron !...

Allo ! Allo !...

MAIS PAR L'ACTION COMBINÉE DES REBELLES RÉPARTIS DANS LES RANGS ATLANTES, LES POINTS STRATÉGIQUES TOM-BENT LES UNS APRES LES AUTRES AUX MAINS DE L'ENNEMI...

Allons ! Archon, rends-toi si tu tiens à la vie !!!...

Haut les mains !

Traître !!!

POURTANT, TANDIS QUE GARDES ET BARBARES S'AFFRONTENT EN CORPS A' CORPS DANS DE FAROU-CHES COMBATS DE RUES, ICARE, BLAKE ET MORTIMER SE RUENT A' TRAVERS LES DÉCOMBRES DE LA VILLE EN FLAMMES EN DIRECTION DU PALAIS ...

Courage !... L'entrée des souterrains s'ouvre tout près d'ici !...

Pourvu que nous arrivions à temps !...

MAIS LES ÉVÉNEMENTS SE PRÉCIPITENT ENCORE !... BRUSQUEMENT, TOUS LES POSTES DE T.V. S'ÉTEIGNENT A' LA FOIS, COUPANT NET LES COMMUNICATIONS, TANDIS QU'UN OFFICIER BLESSÉ FAIT IRRUPTION DANS LA SALLE ...

Majesté !.. Un sabotage vient de détruire la centrale T.V. !!!...

Quoi ? Que dis-tu ?...

Ici ?

Un sabotage !.

Allo ! Allo : ici P.C. du secteur de Melkart... la station des sphéros est tombée aux mains des barbares ! Attendons ordres !...

LE SOUVERAIN STUPÉFAIT PAR L'AMPLEUR ET LA RAPIDITÉ DU DÉSASTRE, PRESSE MAGON, QUI S'EFFORCE DE DISSIPER LES SOUPÇONS QUI L'ASSAILLENT ...

Phokis a raison ! Il est impossible sans raisons sus-pectes que nos plus solides défenses aient ainsi cédé sans combattre !

Majesté ! Ce ne sont là que coïncidences malheureuses... qui d'ailleurs songerait à aider les barbares !?...

Allo ! Allo ! Ici secteur de Mérope !... Le grand barrage est pris !... Attendons ordres !...

Amis ! Ce dernier coup qui risque de paralyser notre résistance exige des mesures extrêmes. Il va falloir nous résoudre à utiliser nos armes les plus meurtrières...

A' CET INSTANT LA VOIX DE MAGON, TEL UN DÉFI S'ÉLÈVE MOR-DANTE ET DURE .

Trop tard, Basileus !!!...

55

TELLE LA FOUDRE TOMBANT AU MILIEU DE LA SALLE, CETTE STUPÉFIANTE INTERVENTION DE MASON A LAISSÉ LES ASSISTANTS MUETS DE STUPEUR... ENFIN, LE BASILEUS REPREND LA PAROLE...

Que veux-tu dire?...

Je veux dire, ô Basileus, que ton règne est fini!...

...sache que par mes soins, et ceux de mes fidèles, le roi Tlalak et ses guerriers ont eu toute facilité pour forcer tes défenses, et qu'en ce moment même ils ont pénétré dans le palais... D'ailleurs, les voilà!...

EN EFFET, AU MÊME INSTANT, LA PORTE S'OUVRE AVEC FRACAS ET SUR LE SEUIL APPARAISSENT, CONDUITS PAR THÉODOS, TLALAK ET OLRIK SUIVIS DE LA MASSE FAROUCHE DES BARBARES...

RÉALISANT ENFIN LA RAISON DE L'INCOMPRÉHENSIBLE DÉFAITE DES ATLANTES, LE SOUVERAIN S'ÉCRIE...

Je comprends maintenant pourquoi Icare voulait cette expédition aux frontières de l'Empire... Ne pouvant croire à la félonie d'un Atlante, il cherchait une preuve pour te démasquer, traître!!...

Prends garde, tyran!... Mes hommes et moi nous en avons assez de ton royaume de termites et de tes rêves insensés!... Tu es vaincu! Quant à ton neveu et les chiens de terriens, ils sont morts!... C'est donc moi désormais qui commande ici!!!...

Quant à nous, Basileus, avant de faire sentir aux terriens, là-haut, le poids de nos armes, mon peuple et moi avons un vieux compte à régler avec la race maudite! L'instant si ardemment attendu est venu... Tu vas payer!!!...

Misérables fous! Votre orgueil vous perdra!!!! Vous...

Trêve de bavardages!... Emparez-vous de lui!...

MAIS À CET INSTANT UNE VOIX IMPÉRIEUSE FIGE SUR PLACE LES BARBARES...

?

Arrêtez!...

SUR LE SEUIL DE LA SALLE DES COMMANDES DONT LA PORTE VIENT DE S'ÉCARTER SE TIENNENT LE PRINCE, BLAKE ET MORTIMER, LE PISTOLET AU POING!...

Zeus soit loué!!! Mon neveu!...

Oui, mon oncle! Revenu avec ses féaux amis par le passage secret connu des seuls membres de la famille royale... et juste à temps, il me semble?...

MAIS OLRIK, COMPRENANT QU'IL FAUT AGIR SANS HÉSITER, ÉLÈVE UN DÉSINTÉGRATEUR RAMASSÉ AU COURS DU SIÈGE ET, VISANT LE PRINCE, IL LUI LÂCHE UNE RAFALE...

CEPENDANT, MORTIMER, PLUS PROMPT ENCORE QUE LE BANDIT, D'UNE VIOLENTE BOURRADE POUSSE LE PRINCE HORS DE LA TRAJECTOIRE ET LE JET DE FEU VA FRAPPER UN ÉNORME APPAREIL QUI ÉCLATE DANS UN BRUIT ASSOURDISSANT...

BROM

À CETTE VUE, LE BASILEUS, HORRIFIÉ, POUSSE UN CRI TERRIBLE...

Malheur!... Il vient de déclencher l'ouverture des vannes qui retenaient l'océan!... L'Atlantide est perdue!!!...

56

58

À CETTE TERRIFIANTE EXCLAMATION, TOUS LES ASSISTANTS, GLACÉS D'HORREUR, SE SONT ARRÊTÉS NETS, TANDIS QUE, COMME POUR L'APPUYER, UN SOURD GRONDEMENT, PRO- DUIT PAR LES EAUX BRUSQUEMENT LIBÉRÉES, FAIT TREM- BLER SUR LEURS BASES LES COLOSSALES MURAILLES DU PALAIS...

Écoutez!

Les vannes!?!...Que dit-il?

Malheur! L'océan!

Que dis-tu?

MAIS LE PRINCE, PROFITANT DE CET INSTANT DE FLOTTEMENT, S'ÉLANCE VERS L'IMPOSANT TABLEAU DE COMMANDE DONT CHAQUE ÉLÉMENT CONTRÔLE, SURVEILLE OU DIRIGE UN ORGA- NE VITAL DE LA CITÉ SOUTERRAI- NE, ET RABAT VIVEMENT UN DES INTERRUPTEURS...

...ET SOUDAIN, JAILLISSANT DU PLAFOND AVEC UN CRAQUEMENT EFFRAYANT, UNE ÉBLOUISSANTE HERSE DE FEU VIENT S'ABATTRE ENTRE LES ATLANTES ET LEURS ADVERSAIRES ÉPOUVANTÉS...

KRRRRAK

...QUI, SAISIS DE PANIQUE, REFLUENT EN DÉSORDRE VERS LE COU- LOIR, REFOULÉS PAR L'ÉTRANGE ET MOUVANT MUR DE FLAMMES...

Le feu de Hue Huetedt!!!

Malédiction!!!

Nous som- mes perdus.

QUANT À MAGON, COUPÉ DE SES ALLIÉS, CONSTATANT AVEC ÉPOUVANTE QU'IL EST MAINTENANT À LA MERCI DE CELUI QU'IL MENAÇAIT UN INSTANT AUPARAVANT, IL TOMBE AUX PIEDS DU ROI.

Grâce, Basileus!!!

Arrière, miséra- ble!...Que Poséï don seul décide de ton sort!!!

ET SE TOURNANT VERS SES FIDÈLES, IL AJOUTE :

Suivez-moi!...

ET TOUS PASSENT À SA SUITE DANS LA SALLE DES COMMANDES SANS ACCOR- DER UN REGARD AU MISÉRABLE QUI VOIT LES LOURDS BATTANTS SE REFER- MER DEVANT LUI...

KLAK

RÉALISANT SOUDAIN LE SORT QUI L'ATTEND, MAGON, À DEMI FOU DE TERREUR, SE MET À MARTELER DE SES POINGS LA PORTE INEXORABLEMENT REFERMÉE...

Par Zeus tout puissant, ne m'aban- donnez pas!!!...Ouvrez-moi!! Pitié!...

PENDANT CE TEMPS, À L'AUTRE EXTRÉ- MITÉ DE LA VILLE, LES EAUX DE L'OCÉAN QUE LA DESTRUCTION DES COMMANDES A DÉCHAÎNÉES, SE RUENT EN GRONDANT DU HAUT DE L'ANTIQUE BARRAGE, À L'ASSAUT DE L'ATLANTIDE !

CEPENDANT, LE BASILEUS, ICARE, BLAKE, MORTIMER ET LES AUTRES ATLANTES SONT ARRIVÉS DANS UN VASTE HALL OÙ TOUT CE QUI SUR- VIT DU PEUPLE SE TROUVE RASSEMBLÉ...

PRENANT LA PAROLE AVEC GRAVITÉ, LE SOUVE- RAIN COMMENCE EN CES TERMES...

Mes amis ! De très graves événements viennent de m'obliger à devancer la date que nous avions fixée pour clore une ère millé- naire, celle de notre vie souterraine. Le traître Magon, en livrant la ville aux barbares, a tranché, sans le vouloir, le dernier lien qui nous rattachait à cette terre! Nos savants vont donc nous arra- cher à notre empire, une fois de plus dévoré par l'océan, pour nous emmener à l'autre bout de la galaxie sur une autre planète plus favorable! Tout est prêt, nos disques interplanétaires ont depuis longtemps exploré et préparé la route... Vous vous embarquerez sous la conduite de vos chefs dans les aéronefs intersidéraux qui vous attendent, et bientôt nous revivrons libres sous un triple soleil à des milliers et des milliers de lieues d'ici...

AYANT DIT, LE BASILEUS S'APPROCHE D'UN PUPITRE ET D'UN DOIGT FERME APPUIE SUR UN BOUTON ...

57

59

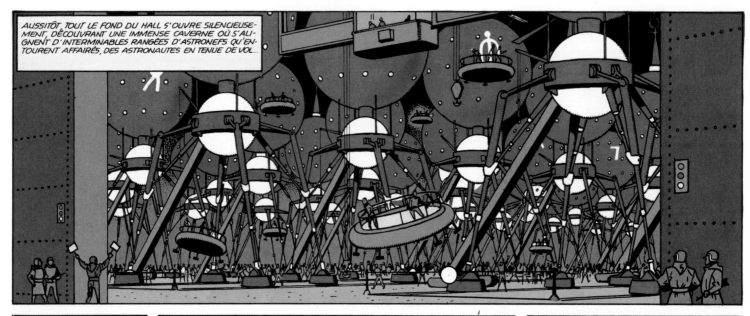

AUSSITÔT TOUT LE FOND DU HALL S'OUVRE SILENCIEUSE-MENT, DÉCOUVRANT UNE IMMENSE CAVERNE OÙ S'ALI-GNENT D'INTERMINABLES RANGÉES D'ASTRONEFS QU'EN-TOURENT AFFAIRÉS, DES ASTRONAUTES EN TENUE DE VOL....

Allez, mes amis, avec ordre et discipline. Vos épreuves touchent à leur fin !...

Quant à vous, terriens, j'ai résolu de vous rendre à la surface du sol, votre patrie. Votre vaillance, et votre loyauté ont permis, non seulement de sauver un grand nombre des nôtres, mais aura de plus contribué à préserver un bien plus précieux encore, notre ancienne civilisation Atlantique !...Au nom de mon peuple, professeur, et vous capitaine, soyez par moi remerciés !...

Sois aussi remercié pour ce geste magna-nime, ô Basileus !...

Toi, Icare, mène ces hommes de bien où tu sais et fais en sorte qu'ils retrouvent sains et saufs la lumière du ciel !... Va ! le temps presse ! Adieu et heureux retour sur cette terre !...

Adieu, Basileus, et réussite à ton entreprise !...

ET TANDIS QUE LES ATLANTES, PLEINS DE CONFIANCE DANS L'AVENIR, S'EMBARQUENT POUR LEUR NOUVEAU DESTIN, LE PRINCE ENTRAÎNE RAPIDEMENT BLAKE ET MORTIMER...

Par ici, venez !...

PENDANT CE TEMPS-LÀ, AU-DEHORS, L'OCÉAN, POURSUIVANT AVEC RAGE SON OEUVRE DÉVASTATRICE, A, DE SES FLOTS INEXORABLES, DÉJÀ À DEMI NOYÉ LA CAPITALE. TANDIS QUE, PRIS À LEUR PROPRE PIÈGE DANS LE PALAIS QUE L'EAU ENVAHIT RAPIDEMENT, LES MAUDITS ARTI-SANS DE CETTE EFFROYABLE CATASTROPHE LUTTENT POUR SAUVER LEUR VIE !...

À moi, grand Hurakan !... Entends-moi !... Ton fils Nalak t'ordonne de le secourir !...

Arrière !... Arrière, océan !... Je suis Magon, le Basileus !... Obéissez !!!... À moi, mes gardes !!!...

Damnation !... Périr comme un rat !... Ah! Cherchons encore !... Il doit bien y avoir une issue quelque part !?!...

SOUS LA CONDUITE D'ICARE, LES DEUX HOMMES SONT ARRIVÉS DEVANT UNE ÉPAISSE PORTE BLINDÉE.

Voici l'entrée du sas qu'occupe le batyscaphe téléguidé qui va vous ramener chez vous...

EN EFFET, UN ENGIN D'ASPECT ÉTRANGE EST LÀ, ATTENDANT D'ÊTRE IMMERGÉ POUR PRENDRE SON DÉPART...

Je dirigerai moi-même la marche du submersible...

Mes amis, le moment est venu de nous dire adieu! Mais sachez que le meilleur souvenir que j'emporterai de cette terre est celui de votre fidèle et loyale amitié. Dites aux hommes qu'ils se trouvent au seuil d'une ère nouvelle, pleine de possibilités merveilleuses, mais que jamais ni la science, ni la victoire ne leur apportera la paix et le bonheur véritable aussi longtemps qu'ils n'auront extirpé de leur cœur ces deux fléaux : LA HAINE ET LA SOTTISE !... Que la catastrophe de l'Atlantide leur serve d'avertissement !...

MAIS SOUDAIN, UN LONG ET MENAÇANT ROULEMENT SECOUE LE SOL SOUS LEURS PIEDS...

Hâtez-vous ! Le barrage vient de céder !!! Adieu, amis !...

Adieu !...   Dieu vous garde, prince!

EN EFFET, SOUS L'EFFROYABLE POUSSÉE DES FLOTS FURIEUX, L'ULTIME DÉFENSE DE L'ATLANTIDE VIENT DE SE ROMPRE, ET ALORS QUE DANS D'EFFRAYANTS CRAQUEMENTS L'ÉNORME GROTTE SE LÉZARDE DE TOUTES PARTS, UNE GIGANTESQUE VAGUE BALAIE L'ALTIÈRE POSÉIDOPOLIS...

QUANT À BLAKE ET À MORTIMER, QUI ONT OBÉI À L'ORDRE DU PRINCE, À PEINE ONT-ILS PÉNÉTRÉ À L'INTÉRIEUR DE LA CABINE QU'ILS ENTENDENT LA VOIX D'ICARE SORTANT D'UN HAUT-PARLEUR...

Prenez place et attachez-vous solidement !...

CECI FAIT, ICARE OUVRE LES VANNES ; LE SAS SE REMPLIT RAPIDEMENT, DEUX BATTANTS D'ACIER S'ÉCARTENT, ET DOUCEMENT L'ENGIN SOUS-MARIN SE MET EN MARCHE...

QUELQUES INSTANTS PLUS TARD, AYANT TRAVERSÉ UN LONG TUNNEL PERCÉ À TRAVERS LE ROC, LE BATYSCAPHE PÉNÈTRE DANS LES FLOTS TÉNÉBREUX...

AU MÊME INSTANT, UN HUBLOT S'OUVRE DEVANT LES DEUX HOMMES TANDIS QUE S'ALLUMENT DE PUISSANTS PROJECTEURS...

HO!

Voici tout ce qui reste de l'ancienne Atlantide, détruite par les eaux !! y a plus de 10.000 ans !

CE QUI VIENT D'ARRACHER CETTE EXCLAMATION DE STUPEUR A' BLAKE ET A' MORTIMER, C'EST LE SPECTACLE GRANDIOSE ET HALLUCINANT DES RUINES D'UNE IMMENSE CITÉ ENGLOUTIE, DISPARAISSANT A' DEMI SOUS LA VÉGÉTATION MARINE ET LES COQUILLAGES. ET LA VOIX D'ICARE S'ÉLÈVE A' NOUVEAU...

FASCINÉS, LES DEUX HOMMES REGARDENT DÉFILER CES VESTIGES D'UN PRODIGIEUX PASSÉ QUI, TELS DES FANTÔMES, SURGISSENT DES TÉNÈBRES ABYSSALES...

MAIS ALORS QU'IL GLISSE LE LONG D'UNE ANCIENNE RUELLE, LE BATYSCAPHE EST SOUDAIN PRIS DANS UN FORMIDABLE REMOUS ET FURIEUSEMENT BOUSCULÉ.

Qu'arrive-t-il?

BALLOTTÉ COMME UNE COQUILLE DE NOIX, LE FRÊLE ENGIN RACLE LES MURAILLES SOUDAINEMENT VACILLANTES ET, BRUSQUEMENT, L'UNE D'ELLES CHANCELLE ET S'ABAT SUR LUI...

COINCÉ ENTRE LES ÉNORMES DÉBRIS, IL S'EST IMMOBILISÉ, ET BLAKE, ALARMÉ, S'ÉCRIE A' L'ADRESSE DE LEUR AMI...

Que se passe-r-il? Nous ne bougeons plus !...

LA VOIX LÉGÈREMENT ALTÉRÉE D'ICARE RÉPOND:

Restez calmes...Je vais vous tirer de là... C'est évidemment une éruption sous-marine qui est cause de ces phénomènes!

EN EFFET, ROUGEOYANT SINISTREMENT A' TRAVERS LES EAUX SOMBRES, UN VOLCAN, ÉTEINT DEPUIS DES SIÈCLES, VIENT BRUTALEMENT DE SE RÉVEILLER ET CRACHE SA LAVE BRÛLANTE EN TONNANT.

LA SITUATION DE NOS HÉROS EST GRAVE, MAIS GRÂCE A' D'HABILES MANŒUVRES DU PRINCE, LE SUBMERSIBLE EST FINALEMENT DÉGAGÉ...

Voilà !!

Enfin !!!

Bon sang ! J'ai eu chaud !...

LIBÉRÉ, IL REPREND AUSSITÔT SA COURSE A' TRAVERS L'ONDE TROUBLÉE ET, S'ÉLEVANT RAPIDEMENT...

... IL NE TARDE PAS A' ÉMERGER...

DÉTACHÉS EN UN INSTANT, BLAKE ET MORTIMER BONDISSENT A' LA TOURELLE QUI S'OUVRE AUSSITÔT...

By Jove! Notre ciel !

Et notre bonne vieille terre!... Eh! mais... voyez donc... là !...

Ce site !... Bon Dieu ! Francis... mais c'est SETE CIDADES... Le lac des sept cités !!!

Est-ce possible !?!... Le lac des sept cités au fond duquel la tradition, que l'on disait légendaire, place le tombeau de l'antique Atlantide !..

MAIS D'EN BAS, LA VOIX PRESSANTE DU PRINCE LES RAPPELLE BRUSQUEMENT A LA RÉALITÉ...

Vite, mes amis, débarquez !...L'eau envahit déjà la centrale des commandes !!!...

LE SUBMERSIBLE S'ÉTANT ENTRETEMPS APPROCHÉ DE LA RIVE, NOS AMIS S'EMPRESSENT D'OBÉIR...

Voilà !...

Hop !...

ALORS QU'INDÉCIS ILS SE TIENNENT SUR LA BERGE, LA VOIX DU PRINCE LEUR PARVIENT POUR LA DERNIÈRE FOIS...

Gagnez les hauteurs avoisinantes et attendez !...Si à la neuvième heure, il ne s'est rien produit...c'est que nous aurons échoué dans notre grand dessein...et maintenant, définitivement... Adieu !...

Adieu, prince...et bonne chance !...

Adieu Icare... que Dieu vous garde !...

SUR CES MOTS, LE CAPOT DE LA TOURELLE SE REFERME SANS BRUIT ET...

...LE BATYSCAPHE, PLONGEANT AUSSITÔT, DISPARAÎT DANS LES FLOTS ...

LES DEUX COMPAGNONS SUIVENT UN MOMENT LE SILLAGE DE L'ENGIN, PUIS, RÉSOLUMENT, S'ENGAGENT SUR LE SENTIER ESCARPÉ QUI S'OUVRE DEVANT EUX...

APRÈS UNE RUDE MONTÉE, BLAKE ET MORTIMER ONT ATTEINT L'ENDROIT QUE LE PRINCE ICARE LEUR A ASSIGNÉ. LA, ÉPUISÉS, ILS SE SONT ASSIS SUR L'HERBE, OBSERVANT, MUETS ET GRAVES, LE MYSTÉRIEUX LAC QUI S'ÉTEND A LEURS PIEDS. CEPENDANT QU'AVEC DE SOURDS GRONDEMENTS LE SOL FRÉMIT SOUS L'ACTION DES FORCES GÉANTES QUI BOULEVERSENT LES ENTRAILLES DE LA TERRE...

MAIS LES DEUX HOMMES, SOUDAIN, SE SONT DRESSÉS D'UN BOND, CAR MENAÇANTE, L'EAU S'EST MISE A BOUILLONNER, ET, BRUSQUEMENT, LE LAC TOUT ENTIER, EN UN GIGANTESQUE GEYSER ÉCUMANT, SE SOULÈVE A UNE PRODIGIEUSE HAUTEUR...

...S'IMMOBILISE UNE SECONDE, PUIS D'UN SEUL COUP, RETOMBE DANS SON LIT, ET, COMME ASPIRÉ, SE VIDE PAR LE FOND AVEC D'AFFREUX SIFFLEMENTS...

Mon Dieu !...Que se passe-t-il ?!?...

L'Atlantide vient de s'effondrer !! Ils sont perdus !!!

61

MAIS A LA MÊME SECONDE, DU FOND DE L'ÉNORME CRATÈRE AINSI FORMÉ, MONTE UN TERRIFIANT RUGISSEMENT ET, JAILLISSANT DE SA TANIÈRE ABYSSALE, LE PREMIER ENGIN SPATIAL SE RUE VERS LE CIEL !...

C'EST L'ASTRONEF AMIRAL, PORTANT LE BASILEUS QUI, PRESTIGIEUX PILOTE DES ABÎMES INTERSIDÉRAUX, PART A LA TÊTE DE SON PEUPLE !...

Hurrah!

Hurrah !

PUIS, SE SUIVANT A UNE CADENCE FOLLE, TOUTES LES UNITÉS COMPOSANT CETTE FANTASTIQUE ESCADRE, BONDISSENT A LEUR TOUR VERS LA VOÛTE ÉTOILÉE ...

ET TANDIS QU'EMPORTÉS PAR LEURS PRODIGIEUX ENGINS, LES ATLANTES S'ENFONCENT A TRAVERS L'INSONDABLE ESPACE VERS LEUR NOUVEAU DESTIN, SUR NOTRE VÉNÉRABLE PLANÈTE DEUX HOMMES TENTENT DE CONCLURE CETTE ÉTONNANTE HISTOIRE ...

E.P. JACOBS

Ainsi donc se termine cette extraordinaire aventure, et voici enfin élucidée la millénaire énigme de l'Atlantide !...Que diront les sceptiques, lorsque ...

Mon pauvre ami, soyez sans illusion ! Nul ne nous croira ! On prétendra que nous avons interprété à notre façon un banal séisme sous-marin. Peut-être même nous accusera-t-on de mystification, d'hallucination collective, que sais-je encore ? ... Et après tout, comment leur en vouloir !?!...